KB109787

동트는 소리
움트는 소리

3

동트는 소리 움트는 소리 ❸

발행일 2023년 6월 15일

지은이 이대진
펴낸이 손형국
펴낸곳 (주)북랩
편집인 선일영
편집 정두철, 윤용민, 배진용, 김부경, 김다빈
디자인 이현수, 김민하, 김영주, 안유경, 신혜림
제작 박기성, 구성우, 변성주, 배상진
마케팅 김회란, 박진관
출판등록 2004. 12. 1(제2012-000051호)
주소 서울특별시 금천구 가산디지털 1로 168, 우림라이온스밸리 B동 B113~114호, C동 B101호
홈페이지 www.book.co.kr
전화번호 (02)2026-5777
팩스 (02)3159-9637

ISBN 979-11-6836-915-3 04810 (종이책)
979-11-6836-908-5 04810 (세트)
ISBN 979-11-6836-916-0 05810 (전자책)

어린 자녀와 함께하는 추억과 성장의 여정

동트는 소리 움트는 소리 3

이대진 지음

한 번뿐인 인생을 후회 없이 살고 싶다면,
가족을 소중히 여기고
역경 속에서 성장하는 법을 배워야 한다.

작가가 어린 자녀에게 들려주는
이야기 형식으로 쓰여진 인생의 지혜와 교훈

북랩

머리말

이 글을 써놓은 지가 많게는 20여 년 가까이 되어 갑니다. '10년이면 강산도 변한다'는데 강산이 두 번이나 바뀐 시간이 지났습니다. 이 때문에 최첨단 인공지능 시대에 부적합하고 누구나 웃을 만큼 얼토당토않은 말들이 많습니다. 너절한 골동품도 아닌 겨우 고물상에 켜켜이 수집된 먼지 쌓인 고철이나 폐지 등과 같다는 생각이 듭니다. 그러나 괴발개발 갈겨쓴 알량한 글이지만 한편으로 내버려 두기에는 너무나 아깝다는 생각이 들어 용기를 내 출판하게 됐습니다. 한없이 부끄러운 생각이 앞설 뿐입니다.

'동트는 소리 움트는 소리'를 출판하는 데 많은 도움을 주신 분들이 있습니다. 먼저 출판사 임직원분들에게 감사를 드리지만, 편집자님께 특히 감사를 드립니다. 출판을 도운 막내 여동생에게도 편집자님 못지않은 감사를 전합니다. 이 책이 태어나게 하는 데 누구보다도 적극적이었기 때문입니다. 여동생이 아니었다면 이 책이 세상에 태어났을까 하는 생각이 앞섭니다. 바쁜 와중에도 힘을 아끼지 않고 도와준 생질녀에게도 한없이 감사를 전합니다. 이 책이 태어나게 넌지시 도와준 저의 늦둥이에게도 고맙다는 말을 전합니다. 일찍이 제가 글을 쓴다고 소문내고 묵묵히 지켜봐 준 아내에게도 감사를 전합니다.

'동트는 소리 움트는 소리'는 제가 자녀들과 대화한 내용들을 테마로 삼았습니다. 하지만 저의 일방적인 말이고 거듭거듭 늘어놓은 잔소리라고 분명히 해야 옳을 것 같습니다. 이 책은 너주레한 말들로 저의 추억이나 제가 경험했던 풍습 등이 담겨 있기도 합니다. 이 글들은 저의 아이들의 미래에 대한 한 가닥의 보탬이 됐으면 하여 써 내려갔던 것들로 참말로 시시콜콜하고 잡다한 신변잡기입니다.

어두운 게 미래입니다! 그야말로 미래는 암흑세계입니다! 이 책이 조금이라도 미래의 서광이 비치게 한 톨의 밀알이 되고 징검다리가 됐으면 참 좋겠습니다. 간절한 소망입니다.

출판사 임직원분들에게 다시 한 번 진심으로 감사를 드립니다. 각종 활자매체에게도 감사를 전합니다. 인터넷 매체에게도 감사를 전합니다. 이러한 매체들은 제가 글을 쓰는 데 많은 도움이 됐습니다. 누구 할 것 없이 모두에게 감사를 드리는 게 옳을 듯합니다.

맥송 이태진 올림

목차

신변잡기

신변 잡기

집중과 선택

요즘 먹을거리가 홍청망청 넘쳐나고 음식 귀한 줄 모르는 세상이 돼 버렸는데 '식량전쟁'이 코앞에 들이닥친 느낌이다.

곡물 수출을 중단하는 나라가 생겨나고 미국의 일부 할인 매장에서는 "수요 증가로 쌀 판매량을 제한하오니 양해 바랍니다."라는 문구를 붙이고 제한 판매하고 있다고 한다. 곡물 많기로 정평이 나 있는 미국에서 식량 제한 판매를 한다고 하니 아이러니하고 세상 모를 일이라는 생각이 들기도 하다.

유엔세계식량계획(WFP)은 "세계에서 하루 1달러 미만으로 생계를 꾸리는 빈곤층 1억 명이 굶주림에 시달리게 될 것"이라고 경고하기도 했다고 한다.

우리나라도 보릿고개 시절이 다시 닥칠지 모른다는 생각이 든다.

'바이오연료'다 뭐다 해서 사람, 소, 돼지 등이 먹어야 할 곡식을 자동차가 먹는 꼴이라고 한다. 게다가 13억 인구 중국이 경제 성장을 하면서 육류 소비량이 증가 일로라고 한다. 육류 1kg을 얻는 데는 16kg의 사료가 필요하다고 한다.

중국은 원자바오 총리가 직접 나서 자원이 풍부한 아프리카를 누비며 자원 확보에 혈안이 돼 있다고 한다. 우리나라만 해도 고철 가격이 수직상승하고 품귀현상이 빚어지자 정부가 나서 규제 단속에 들어간 적도 있다. 뿐더러 이명박 정부가 들어선 지 처음으로 열린 재외 공관장 초청 만찬에서(4월 23일 청와대 영빈관) 이명박 대통령은 "새 정부가 출범하는 이 시점은 세계 경제 환경이 정말 어려워진 게 사실이다. 걱정이 많다."며 "우리는 에너지를 100% 수입하고 곡물도 75% 수입하는 나라이며 남북은 분단돼있다. 이런 악조건을 어떻게 뛰어 국민을 행복하게 하느냐가 중대한 과제다."고 자원 외교의 중요성을 강조했다고 한다.

우리나라는 좁은 국토에 인구는 많고 그나마 국토의 십중칠팔은 산악지대로 돼 있다. 그렇다고 자원도 없다. 산악지대의 산림에서 얻어지는 소득 또한 신통치 않다. 인구밀도가 높다는 것은 경쟁률이 높다는 증거이기도 하다. 그래서 사회가 부화뇌동은 허락하지 않는다.

세계는 지금 '제3세계 식량위기', '식량전쟁'이 도래한 듯한데 이런 시대의 상황을 미시적으로 꿰뚫은 듯 농업이 주목받고 있다고 한다.

농경사회에서 산업사회로 변화되면서 '농자천하지대본'이라는 말이 퇴색되고 농업은 퇴물이 돼 촌노들의 생업이 되다시피 한 게 '기업농'을 목표를 둔 108개 법인이 설립한 '한국농업CEO연합회'를 창설했다고 한다.

때가 때인 만큼 여주 농업 경영 전문학교는 전문적인 농업 경영법을 배우려는 명문대 졸업생들이 날로 증가하고 있다고 한다.

지구는 인구가 늘고, 환경이 파괴되고 남극이나 북극 등의 만년

설 등이 수십 년 내에 사라질지 모른다고 경고하고 있다. 그 변화의 재앙은 인류의 몫인데 재앙의 파고를 예단하기 어렵다고 한다.

지구촌 곳곳에서는 화석 연료 고갈에 대비해 '바이오연료'가 개발돼 바이오연료로 자동차가 달리고, 지구의 온난화 방지는 물론이며 인류에게 기여하는 듯하나 바이오연료는 도리어 개발이 안 된 것만 못한 듯하다.

브라베크 레트마테 네슬레 회장은 "증가하는 석유 수요의 20%만 바이오연료로 충당하려 해도 먹을 것은 하나도 없을 것"이라고 경고하는 데서도 여실하다.

2007년 프랑스 대통령이 된 니콜라 사르코지에게서 입각 제의를 받았지만 거절해 화제가 됐던 프랑스 여성 모험가 퐁트누아가 있다.

그는 '7미터 쪽배'를 이용해 혼자서 노를 저어가며 대서양을 지나 태평양을 횡단하는 데 성공해 여성으로서 세계 최초의 기록을 세웠다. 2008년 4월 1일자 동아일보를 보면 그가 노 젓는 모습이 큼직하게 실렸고 그를 인터뷰한 파리 송평인 특파원의 글이 있었다. "바다가 변하고 있다고 생각하십니까?"라는 질문에 그는 "태평양을 건널 때는 노르웨이 모험가 토르 헤위에르달이 1947년 건넜던 경로를 따라갔습니다. 그는 당시의 경험을 1950년 책으로 펴냈고 그가 약 50년 전에 봤다는 많은 물고기를 저는 보지 못했습니다. 바다가 텅 비어가고 있어요." 그는 또한 "무엇보다 진저리쳐지는 것은 폭풍우예요. 폭풍우가 너무 잦고 점점 강해지고 있습니다. 언젠가는 폭풍우에 대한 두려움으로 자유롭게 항해할 수 없는 날이 올지도 몰라요."

세계는 지금, 환경변화로 인해 병들어 가는 하나뿐인 지구를 살리기 위한 안간힘을 다하고 있다. 우리나라와 이웃해 있는 일본만 해도 심지어 프로 야구 경기 중에 타자가 타석에 들어설 때 흘러나오는 음악이 짧아졌다고 하고 뿐만 아니라 투수교체 때 소요되는 시간을 일일이 체크한다고 한다.

일본 야구 사무국이 '경기시간 6% 삭감' 프로젝트에 따른 조치라고 하는데 시행 이전보다 소요시간이 10여 분 절감됐다고 한다. 인류에게 부닥칠지 모르는 대재앙을 막자는 발로인 듯하다.

기상청이 수년 전보다 정확한 일기 전망을 위해 첨단장비를 들여와 활용한다고 한다. 그런데도 일기예보는 종종 빗나가 비난의 대상이 되기도 한다. 일기예보가 스포츠처럼 '일기 중계방송'한다고 말이다. 그래서 '오보청'이라는 별칭을 듣기도 한다.

환경 변화가 원인이라고 한다는 데 아무튼 어려움이 많은가 보다. "일기예보와 증시 전망은 틀리기 위해 있는 것"이라는 말처럼 환경이 변할수록 일기 전망뿐만 아니라 모든 게 불투명하고 불확실성이 팽배하고 미래는 험로일지 모르겠다.

환경이 변하고 세계가 급변할수록 명문고를 나오고 명문대를 나오는 것도 중요하지만 그보다 더 절실한 건 열정적인 노력과 분명한 목표의식이 뚜렷하게 병행돼야 한다고 생각한다. 무지개처럼 선명한 꿈을 가졌으면 그 꿈을 흔들림 없이 고귀하게 간직해야지 형상 없이 사라지는 무지개마냥 유야무야돼서는 곤란하다는 것이다.

자랑스럽게 들어간 네가 최근 학교의 상징인 배지를 붙이고 떼었다를 반복해 학교 정문을 들어설 무렵이면 붙이는 듯한데 숫제 그 까닭을 추량하기가 오리무중이다.

각종 공모전에서 두루 입상하다시피 한다는 경북 포항에 한동대 경제경영학부의 한 학생이 "공모전에 13번 참가했는데 그중 9곳에서 수상했어요. 실력을 입증할 객관적인 데이터를 축적하기 위해 만반의 노력을 하고 있는 셈이죠."라고 했다는 말은 귀감이고 현실을 직관하는 자세라고 생각하는데 모멘트가 됐으면 한다.

바둑에서 마주 앉은 두 기사가 원수를 외나무다리에서 만나듯 도저히 물러설래야 물러설 수 없는 상황에 부딪치기도 한다. 승패를 가름하는 대마 싸움에서도 그렇거니와 승리를 다잡아 놓았다 싶었던 바둑이 패가 발생해 팻감 부족으로 말미암아 필경 지고 마는 경우가 허다하다.

요컨대 대마를 놓치는 거야 실력 부족이고 능력의 한계로 봐야지만 팻감 부족으로 다 이겼다 싶었던 바둑의 승리를 놓치는 것은 대비책의 부족으로 볼 수 있다.

이명박 대통령이 대통령이 된 뒤 처음 열린 재외공관장 만찬에서 "사람이 베스트(최고)는 못해도 두잉 베스트(doing best, 최선)는 할 수 있다."며 능력이 있더라도 최선을 다하지 않는 것보다 능력이 조금 떨어져도 최선을 다하는 게 더 낫다. 능력을 갖춘 여러분이 최선을 다하면 큰 성과를 낼 수 있다."고 말했다고 한다.

속담에 "미련이 담벼락을 뚫는다."는 말이 있다. 근면하고 성실하고 끈기 있게 열정적인 사람이 성공할 수 있다는 뜻일 텐데 네게 "머리가 아무리 좋아도 배우지 않고 노력하지 않으면 아무 소용 없다."고 보태서 말하면 언필칭 나는 말하곤 한다.

심기일전해 궁구하고 노력했으면 한다. 주먹구구식이 아니라 보다 체계적으로 말이다. 그랬을 때 경쟁자가 쪽도 못 쓰는 블루오션이 형성되고 혹여 질풍노도가 들이닥쳐도 특별한 어려움 없이 빠져나올 수 있는 첩경이다. 네가 짜놓은 로드맵이 문제가 있었다면 과감히 실현가능한 로드맵을 다시 짜야 한다. 다시 말하면 부화뇌동하고 목표했던 무엇을 얻고자 하는 건 연목구어이다.

이번 중간고사를 보기 전 너는 학급에서 1, 2등을 하면 거위털 잠바를 사줘야 한다고 말했다. 그런데 시험점수 결과는 1, 2등에 근접하지도 못했다.

결과가 그런데도 너는 거듭되는 상투적 태도라고 해야 할까 언행의 불일치로 거위털 잠바를 사달라고 닦달했다. "자식 이기는 부모 없다."는 생각이 들기도 하다. 닦달에 부대껴 원칙이 뭉개지고 거금의 거위털 잠바를 사줬으니 그렇다.

세계 최연소로 교수(건국대)가 되어 291년 만에 최연소 교수로 기네스북에 등재된 알리아 사버(19) 교수는 '배움에 대한 열정'이라는 주제로 한 강연에서 왜 공부를 해야 하는지 늘 생각하라. 그리고 유연하게 사고하라"고 말했다고 한다. 한편 그는 "무엇을 위해 공부하는지 잊지 않으면 집중할 수 있다."며 "성공한 자기 모습을 그려보고 가장 흥미 있는 것에 집중하라."고 말했다고 한다.

부존자원이 전무한 우리나라가 경제 성장을 가져오는 데는 신기술 개발에 의존할 수밖에 없다고 한다. 두뇌가 부존자원이라는 말이다! 대기업의 높은 기술은 한국 경제 성장에 많은 기여를 하고 있다. 마찬가지로 개인도 부존자원이 두뇌라고 생각하는데 더욱이 우리 같은 서민에게는 두뇌를 어떻게 얼마만큼 제대로 활용하느냐가 매우 중요하다고 생각하고 원동력을 지피는 매개라고도 보고 계층적 단계를 올려놓는다고 본다.

십시일반

이명박 대통령이 당선인 신분으로 있을 때였다. 취임을 불과 15일 정도 남겨놓은 시점에 대한민국 국보 1호 숭례문이 방화로 전소됐다. 나라의 갖은 질곡에도 꿋꿋이 610년을 버텨온 숭례문이 불에 타 상량, 옥척, 도리, 서까래 등이 '미라'가 돼 드러눕고, 세로로 쓴 양녕대군 휘호, 보기 드문 현판이 나뒹굴어 국민들은 허탈감에 빠져 침통해하고 망연자실했다.

불행 중 다행이라고 해야 할까 현판은 테두리 일부만 파손됐다고 한다. 세로로 된 현판은 불을 형상화한 것이라고 하는데 화염에 맞서 싸우다 힘이 보챈 듯 화염에서 탈출해 지상으로 추락하는 장면은 불현듯 안쓰러운 생각이 들기도 했다.

2008년 2월 12일, 이명박 대통령은 서울 종로구 삼청동 인수위 위원회 연석회의에서 "정부 예산보다는 국민이 십시일반 참여한 성금으로 복원하는 게 국민에게 위안이 되지 않겠나. 의미가 있지 않나 생각한다. (숭례문은) 국민 모두에게 상징적인 문화유산으로 모든 국민이 큰 충격을 받았다고 생각한다. 이른 시간 내에 복원해 국민의 허전한 마음을 달래야 한다."라고 복원 비용을 국민 성금, 모금 운동을 전개하는 방안을 제안했다고 한다.

이러한 이 당선인의 제안에 대통합민주신당은 대변인을 통해 반대 의견을 분명히 했다. "대통령이나 관이 국민에게 모금을 강요하는 것은 과거 독재정권 시절에나 있었던 부끄러운 일"이라며 "각 부처의 대처 소홀로 야기된 복원 비용을 국민에게 떠넘기는 것은 있을 수 없다."

점차 여론의 흐름은 좋지 않아 '십시일반' 모금안은 벽에 부딪쳐 사라지게 됐다. 그래서 나는 아무리 좋은 뜻이 담겨 있다고 해도 "좋은 일도 잘해야 한다."는 속담이 빛을 발하는 것 같기도 했다.

'십시일반'은 '열 사람이 밥 한술씩 나누면 한 사람이 먹을 수 있는 분량이 된다.'는 뜻으로 '여럿이 협력하면 한 사람 돕는 일은 어렵지 않다.'는 말이다.

십시일반의 대명사 격인 심청전이 있다.

심청전을 판소리화한 심청가에는 "앞 어둔 우리 부친 구할 길이 전혀 없어 밥 빌러 왔사오니 한 술씩만 덜 잡숫고 십시일반 주옵시면"이라고 하는 봉사 심학규의 딸 청이가 끼니를 해결하려고 하는 대목이다.

방송과 신문 등은 연말연시나 재해 등이 발생하면 십시일반 성금을 모금하기도 한다.

최근 바티칸 교황청이 '세계화 시대의 새로운 7대 죄악'을 발표한 것 중에 "소수에 의한 과도한 부의 축재로 인한 사회적 불공정"이 생각나는데 며칠 전 나는 네게 여의도의 30여 층이 족히 되어 뵈는 빌딩을 가리키며 "저 정도의 건물은 가져야 되는데."라고 말했더니 "돈이 많아서 뭐 하냐."고 하는 네 대답에 "반드시 돈이 많다고 해서 남을 돕는 것만은 아니지만, 지구상에는 기아로 허덕이는 사람이 많다. 굶주림에 헤매는 사람에게 희망을 주는 일을 한다면 얼마나 좋은 일이냐."고 한 적이 있다. 이어 나는 "적선, 선행에 있어서 네게 모범이 되지는 못한다만 전화만 걸면 한 통화에 2,000원이 유용하게 전달되는 선행에 선도하는 방송 프로도 있다. 마음만 먹으면 선행이 몸에 배어 익숙하도록 기반하게 하는 프로이기도 하고 강자와 약자가 공유하고 소통할 수 있게 하는 프로"라고 말했었다. 자동이체로 매일 360원 정도 소액을 기부하는 '365운동' 돼지저금통 모금 '나눔 씨앗 뿌리기' 운동도 있다.

네가 초등학교 때 중학교 때 네게 나는 너희 반에 불우한 급우가 없느냐고 하면서 만약 그런 급우가 있다면 돕고 배려했으면 한다. 약자를 배려하는 자세는 곧 네게 재목이 되게 하는 기초가 되는 자세라고 했던 말이 생각이 난다.

이명박 대통령의 배려하는 마음이 정곡을 찌르는 듯하다. 이명박 대통령은 당선인 시절, 과천시 중앙공무원교육원에서 열린 각료 후보자와 대통령실 합동 워크숍 첫날 수석 비서관들과 350미터가 되는 트랙을 빠른 걸음으로 15바퀴를 돌았다고 한다. 그런데 많은 참석자가 이명박 대통령 당선인을 좇아오지 못하고 버거워하자 이명박 대통령 당선인은 7바퀴를 돈 뒤 "이제 방향을 바꿔 반대 방향으로 돌자."고 제안해 역으로 돌았다고 한다.

네 할아버지가 병상에서 병마와 싸우다, 병마를 이기지 못해 지쳐 '미라'가 되다시피 해 삶을 얼마 안 남겨 놓았을 때 "욕된 짓을 해서는 안 된다."라고 한 말이 불현듯 떠오른다. 배려와 이타심일 듯하다. 현기증이 날 만큼이나 발전하고 변하는 세상이 갈수록 이기적화 되는 듯한데 이타적 행동은 자신을 진작하는 데 매우 중요할 듯하다.

규칙 위반

"도박을 절대 하지 않는다."는 네가 고등학교에 입학해 첫 수학여행인 제주도 여행 때 스케줄 안내문에 명시된 주의 문구 중의 하나다.

도박은 개인의 몰락은 물론이려니와 가정의 파탄을 불러오기도 하고 사회의 악으로 많은 문제점을 야기하고 있다. 내 주변에 인척 관계인 머지 않은 사람도 한순간의 도박으로 말미암아 평생 동안 팍팍하게 허덕이는 사람도 있다.

도박은 비밀리에 슬며시 행해지는 도박이 있는가 하면 정부가 허가한 도박도 있다. 전자는 포카, 고스톱, 내기 골프, 내기 바둑 등이 부류에 속한다고 할 수 있고 후자는 카지노가 대표격이고 스포츠에 속하는 경마가 있고 복권도 여기에 속한다고 볼 수 있다.

며칠 전 네가 제주도 수학여행을 다녀왔을 때 "알차고 보람된 여행이었냐?"는 내 말에 네 일성은 "고스톱을 쳐서 8,700원을 땄다."며 "3,700원을 돌려주고 5,000원은 챙겼다."고 말했다. 이어 "선생님에게 발각되지는 않았다."라고도 말했다.

네 말을 들은 나는 어이없고 어안이 벙벙했다! 애오라지 학생 신분인 네게 열쭝이 도박꾼이 되게한 책임을 통감하고 자책하고 자인한 적이 있다. 까닭은 평소 오락 삼아 장기 두고 바둑 두고 때로는 고스톱도 쳤었는데 네게 고스톱을 알게 했던 게 문제였기 때문이다. 도박을 가르쳐 준 꼴이 됐으니 말이다.

네가 한 말 중에 "선생님에게 발각되지는 않았다."고 했는데 발각되지 않은 게 다행이었다고 생각하는 모양 같은데 의문을 갖게 하고 우려스럽기가 짝이 없다. 사회는 지켜야 할 규범이 있고, '로마에 가면 로마법을 따르라.'는 말이 있듯 그렇게 행동하기 때문에 사회는 정합되는 듯하다. 신호등을 따르듯이 말이다.

미물 중의 미물이라고 할 수 있는 개미는 수만 마리가 넘는 개미들의 오고 가는 길이 명확하다고 한다. 무질서한 듯하지만 앞서가는 선두 무리를 뒤따른다고 한다.

철새가 모여드는 들판이나 강가에 가면 수백만 마리는 될 법한 철새들이 군무를 이루고 나는 것을 볼 수가 있다. 얼핏 보기에 무질서해 보이고 무질서치고는 엉망진창인 듯해 보이지만 정연한 질서 속에 난다고 한다.

공유해야 할 사회라는 테두리 안에서 만물지령인이라고 하는 사람에게는 철새들이 귀감이 될지 모르겠다.

옛말에 '도둑 하나 열이 못 지킨다.'는 말이 있는데 잘 쳐진 그물망이라고 해도 얼마든지 빠져나올 수 있다는 말도 될 듯하다. 네가 수학여행을 갔을 때 선생님의 눈속임쯤이야 '누워서 떡 먹기'일 것이다.

너희 수학여행 안내문에 표기된 주의 문구는 생각에 따라선 잘 쳐진 그물망이라고 할 수 있고 듬성듬성한 그물망이라고 할 수도 있지만 주의 문구는 선언적 의미로써 경고일 뿐이다.

공동체라는 무리에서 이질적 요소가 배재되고 융합되는 구성원이 되도록 해야 한다. 주의 문구는 선언적 경고의 극치일 수 있지만 요컨대 쌍끌이 그물망이라고 생각하는 자세가 발전하게 하는 매개가 될 수도 있다고 생각한다.

사회는 자전과 공전하는 우주의 자연적 질서 속에서 순리적으로 순응해야 하고 공존해야 할 필요가 있다고 생각한다.

물고기가 물을 만나면 제 세상이고 아울러 살아간다. 매한가지로 사회는 바다이고 공동체라는 무리 속에 정연하게 동화될 필요가 있다.

선생님의 시선을 피해 얼마든지 위반할 수 있는 일이지만 중요한 것은 양심의 문제라는 것이다.

사람은 신이 아닌 이상 완벽할 수도 없고 실수도 하는 모양이다. 단적인 예로 부연하면 이명박 대통령이 당선인 시절 1박 2일 동안 과천시 중앙공무원교육원에서 2월 16일부터 열린 워크숍에서 이튿날 아침 7시부터 50여 분간 수석비서관 내정자들과 연수원 내 대운동장 육상트랙(350m)을 15바퀴를 도는 '극기 조깅'을 했다고 한다.

트랙을 도는 동안 트랙 안쪽에서 달리는 사람들이 있었다고 한다.

그때 이런 광경을 알아차린 이명박 당선인은 규칙을 어긴 사람들을 향해 "그렇게 돌면 제대로 하는 게 아니지."라고 경고성 말을 했다는 것으로 유명하다. 장차 장관이 되는 등 나라를 이끌어 가야 할 범상치 않은 사람들이 극미하다고 할 수 있을지는 모르나 그들이 규칙을 위반한 것에 비유하면 네가 저지른 고스톱이라고 하는 규칙 위반은 약과라는 생각도 해봤다.

하지만 네가 어리기 때문에 약과라는 것이지 고스톱에 비교하면 트랙의 라인을 벗어난 게 의심의 여지 없이 약과라는 것을 이해했으면 한다. '행동이 습관이 된다'고 하는데 나쁜 행동은 여과 없이 초기에 '쌍화탕' 먹고 감기 잡듯 제거했으면 한다.

건강하고 건전한 사고력을 배양했으면 하고 갈망하고 어디에 있건 정합되도록 노력했으면 한다. 습관 하나를 없애는 데는 꾸준하게 노력했을 때 비로소 약 21일이 돼야 없앨 수 있다고 한다. 범상하지 않게 자라가고 있는 네가 금쪽같은 시간을 일부나마 잘못된 행동에 할애하는 건 유용성 가치에 문제이고 효율적 배치에 위배된다.

상상은 자유

2008년 미국에서 시발한 글로벌 경제 한파가 세계를 혹한기로 몰아넣는 것 같다. 미국은 선두로 리먼 브러더스가 주저앉았다.

뉴스를 보면 국내에는 부도나는 건설회사가 늘고 유명 의류업체 등이 부도로 파산하고 파생되는 여파는 실업자가 늘고 있다고 한다. 점포정리를 하는 가게가 날이 밝기 무섭게 늘고 있다고 한다. 연례행사처럼 인상되다시피 하는 대학교 등록금이 8년 만에 동결된다는 보도도 있었다. 그만큼 어려운 경기라는 것이다.

게다가 11월 중순이건만 12월 중순 기온이라고 한다. 경제만큼이나 꽁꽁 얼어붙어 체감 온도는 벌써 영하 10도로 내려갔다!

내년 경제 성장 지표도 2%대로 전망한다고 한다. 경우에 따라선 1%대 성장도 배제 못 한다는 말도 팽배하다. 세계 경제는 마이너스 성장이 될 것이라고 한다. 이명박 대통령은 2009년 경기 전망을 "내년 경제가 정말 어려워질 것이라고 생각한다."라고 말했다고 한다.

날씨를 예측하기라도 한양 거위털, 오리털, 누비잠바가 유행하고 있다고 한다. 불티나게 팔린다는 보도도 있었다. 뒤질세라 너도 동참해 일찌감치 수십만 원짜리를 샀다. 우리에게는 너무나도 과분한 금액이다. 신문에 나오는 광고를 유심히 들여다봤더니 질적인 차이는 특별히 없는 듯한데 세 개의 잠바를 살 수 있는 금액이다. 다만

고가라서 문제이지 어찌 보면 생존법칙에 동인되는 건지 모르겠다.

집에서 기르고 있는 (네 누나가 제멋대로 사다 놓은 애완견) 똥개(요크셔테리어)도 어느새 기존 털사이 보온성 솜털이 빼곡한 듯하다. 겨울을 나기 위한 자연적 현상일 것이다.

모든 생물이 추위에 대비할 테지만 특히 냉혈동물 등 겨울잠을 자는 동물은 이미 동면에 초입해 겨울잠에 빠져 성질급하게 다가올 봄 꿈에 잠겼는지도 모르겠다.

12월, 1월이면 대개가 대설, 소한, 대한으로 순차적으로 든다. 엄동설한인 본 겨울이고 맵짠 바람의 한파는 몰아칠 것이다. 겨울한파와 '쓰나미' 글로벌 한파가 충돌하면 지구 극지역처럼 영하 50도가 될지도 모르겠고 체감 온도는 배가 될지도 모르겠다. 그래서 더러는 사람들이 냉혈동물처럼 엄혹한 혹한에도 끄떡없기를 기대하고 희망하고 냉혈동물이기를 원할지도 모르겠다.

냉혈동물은 냉동상태에서도 6개월은 거뜬히 버틴다고 한다. 충분한 에너지를 축적했을 때 가능하다고 한다. 사람이 냉혈동물의 생리적 조건을 가졌다면 설령 글로벌 한파가 수년 지속된다고 해도 거뜬할 테니 말이다. 하지만 공염불이고 허공에 메아리일 뿐이다. 얼토당토않는 말이다. 그래서 실용 가능 하고 현실적인 대안을 찾아야 현명한 일이다. 냉혈동물이 됐건 모든 생물이 동면하기 전 미리 에너지를 축적해야 하듯 에너지를 발전할 수 있는 동력이 있어야 되고 에너지 불멸의 법칙을 깨달아야 한다.

지난주에 있었던 일이다. 네 어머니가 너희 할머니 댁에 가기로 예정돼 있었다.

그래서 나는 네게 "네 어머니와 함께 다녀왔으면 한다."고 말했다. 네가 "곧 시험이 있어 시험공부를 해야 한다."는 말에 의심의 여지가 추호도 없었고 너희 어머니만 시골에 다녀왔었다.

네 할아버지는 지난봄에 돌아가시고 독거노인인 거동 못 하는 너희 할머니께 문안드리려 가야 되는 차례였다.(삼촌 고모 일곱이 돌아가며 2주 간격으로 간다.) 나중에는 지켜지지 않았다. 부끄러운 일이다. 반포지효라고 까마귀도 어미가 늙고 병들고 기력이 노쇠해지면 먹이를 물어다 주고 보살핀다는 데 말이다.

때마침 첫눈이 20㎝가량 내려 냉해 피해가 우려됐고 그래서 무를 저장을 해야 했고 감도 따야 했다. 네 어머니 혼자서는 버거울 수밖에 없었다. 시골에 가지 않은 너는 시험공부를 해야 한다는 말과는 사뭇 달라 컴퓨터 게임에 매진했다. 상투적으로 반복과 반복을 거듭하는 네 말과 행동의 불일치는 성장의 동력에 어그러진 기아일 뿐이고 양심의 문제이고 도덕적 해이가 증폭돼 더 습관화되고 더 심화되기 전 정정해야 할 필요가 주요하다.

오늘도 나는 새벽 5시 30분 잠에서 일어났다. 오늘도 나는 네게 고기 잡는 법을 체득하게 하기 위해 이른 아침부터 다음날이 시작되는 한 시간 전까지 시각에 맞춰 학교나 학원에 태워다 주고 오고 한다. 그런데 나는 고기 잡는 곳을 가이드 했을 뿐이고 고기 잡는 방법을 배우는 건 전적으로 너희 몫이라는 걸 분명히 알아야 한다.

"말을 물가에 데려갈 수는 있어도 물을 먹일 수는 없다."는 속담이 있고 지그 지글러가 쓰고 김양호 번역하고 안암문화사가 출판

한 『정상에서 만납니다』를 보면 말에게 물을 먹이기 위해서는 소금을 먹이라고 했다. 그렇듯 네게 학습에 갈증 나게 하는 '소금'을 연구해 개발하고 싶지만 능력의 한계가 문제가 돼 못내 아쉽다.

요즘 서민들이 1997년 외환위기 때보다 팍팍해하고 있다. 1997년 외환위기 직후 정부가 보유한 달러가 39억 달러, 2008년 11월 현재 달러 2,400억 달러라고 한다. 10여 년 전 외환위기 때와 비교해 상대가 안 될 만큼 보유한 달러가 수치상으론 높지만 서민경제와는 무관한 듯하고 개살구 같기도 하다.

"(경제가)어렵다고 사람을 내보내면 안 됩니다. 어렵다고 사람을 안 뽑으면 안 됩니다."라고 자회사 직원에게 감원에 또른 불안감을 해소하고 구직자에게 희망을 주는 LG그룹 구본무 회장도 있지만 많은 직장인들이 실직에 직면해 불안감에 휩싸이고 있다고 한다. 일용직 근로자가 한 달에 일하는 근로일수가 5일밖에 안 된다는 보도도 있었다.

서민경제가 어렵다 보니 "물고기를 잡아다 주기보다 물고기를 잡는 법을 가르쳐 준다는 취지는 좋지만 지금 잡는 법을 배우다가 굶어 죽을 만큼 몸이 허약한 상태"라고 회자되고 있다.

작년에 논술고사를 치른 학교가 45개, 금년(2008년)에는 13개 학교가 치른다고 하니 논술고사는 소멸될지도 모르겠다. 논술이 약한 네게는 원군을 얻은 격인 듯하다. 내신도 퇴색돼가는 징후가 질타 모두가 네게는 플러스알파 격이다.

네가 대학을 졸업하고 대학원을 졸업할 때면 아마도 글로벌 한파의 쓰나미는 해빙될 것이다! 네가 기개해야 할 시기와 대략 일치한다. '때를 잘 만나야 한다.'고 하는데 절호의 호기인 듯하다.

나무로 보면 너는 지금 원줄기가 자라고 있다. 씨앗이 빅뱅 하듯 표피를 터뜨리고 떡잎 돋고 뿌리가 난다. 원줄기가 자라고 주지를 뻗고 곁가지를 친다. 일정 기간 잎이 무성하게 성장하고 꽃이 피고 열매를 맺는 것처럼 네가 지금 열매를 맺기 위한 노정을 걷고 있다. 나무를 가꾸듯 원석을 갈고 닦아야 빛을 발산하는 보석이 되는 것처럼 갈고 닦았으면 한다.

미국의 프랭클린 루스벨트 대통령은 경제가 어려울 때 맞이한 취임식에서 "우리가 두려워해야 할 것은 두려움이라는 단어"라고 했다고 하는데 네게는 용기와 기개가 넘쳐나니 두려움은 문제가 안 될듯하고 말과 실천이 정합되지 않는 불일치가 두려움의 대상인듯하다.

역학(주역)에서 국합이라는 게 있다. 지구는 양극과 음극이 있다. 지남철이 같은 극끼리 부딪치면 붙지 않는 것은 정합되지 않기 때문이다.

물과 기름이 융합되지 않는 것도 같은 맥락이다. 결혼도 궁합이 맞아야 잘산다고 한다. 만물의 이치가 그러하듯 네가 한 말과 행동이 융합돼 수반될 때 성공으로 가는 동아줄이 되고 키워드라고 생각한다.

상상과 말은 같은 연장선에 있다고 봐야 하는데 "상상을 현실로 바꾸면 성공과 직결된다."는 말이 있다.

뉴질랜드의 마오라이스 브라이햄은 레저용 보트를 만드는 '실레

그즈'를 창업해 성공한 사람이라고 한다고 하는데 상상을 현실로 실천해 성공한 대표 격이라고 한다.

마오라이스 브라이햄은 집에서 거리가 여남 발에 불과한데도 보트를 트레일러에 싣고 자동차로 이동해야 하는 번거러움과 불편함에 폈다 접었다 할 수 있는 바퀴를 생각해내 특허를 내고 보트에 적용했다고 한다. 그가 개발한 보트는 육지에서 자유자재로 이동할 수 있는 편리성 때문에 날개 돋친 듯 주문이 쇄도하고 있다고 한다.

'상상은 자유'라는 말이 있다. 생각은 자유롭게 해도 되지만 함부로 해서는 안 되는 게 말이다. 어찌 됐든 말을 한 이상에는 말과 행동의 관계를 쌍무적이라고 해야 옳을 듯하다.

상상을 실천에 옮기면 성공과 직결된다는 것처럼 말과 행동은 나란히 두 바퀴가 굴러가는 수레라야 한다고 생각한다. 그래야만 상상에서 발전한 말을 실천할 수 있고 성공으로 가는 첩경일 것이다.

건강

2008년 11월 15일 수능시험을 치르는 날이었다. 지금으로부터 대략 2년 정도면 수능시험을 치러야 되는 너이다. 수능시험에 도움이 될는지 몰라 적어 본다. 지난 1학기 기말고사인지 시간이 부족해 찍기 했다는 말도 떠오른다.

중간고사이든 기말고사이든 수능시험이든 중요성의 차이는 변반 차이가 없을 듯하다. 물론 수능을 대비해 학습을 하긴 했지만….

지난 1학기 어느 시험에서 시간 부족으로 말미암아 찍기 했다고 했었는데 시험에서 모르는 문제에 부딪쳤을 때 처음 생각이 정답과 우합할 수 있는 가능성이 높다고 한다. 신빙성은 꽤나 의심되나! 70%가 우합된다는 말도 있다. 한편 다지 선택법에서는 3번을 찍는 것이 유리하다는 말도 있다.

시험에서 실수만 안 해도 성적이 10%는 오른다는 말이 있는데 충분한 숙면이 중요할 듯하다.

내가 똑똑히 기억하는 것만 해도 네게 충분한 반면교사가 될 두 차례가 있었다. 하나는 중학교 때 교육청에서 실시한 모형 비행기 날리기 대회에서 실수한 것이고 또 하나는 1학기 때 어느 시험이었다.

두 차례 공히 공통점은 수면 부족이 주요한 원인이었다. 기말고사인지 1학기 때 어느 시험에서 오후 첫째 시간 점심 먹고 나른해 졸려 한참을 자고 나서 찍기를 했고, 모형 비행기 날리기 대회 때는 몸살감기에 전날 제대로 수면을 취하지 못해 모형 비행기를 조립하면서 오류로 잘 날지 못하는 결과가 벌어졌다. 게슴츠레한 컨디션은 필연적으로 오류의 발생이 예고됐다고 해도 과언이 아닐 듯하다.

모형 비행기 날리기 대회 때는 한 번의 실수에 녹다운 됐지만 어느 시험에서는 거슴츠레하면서도 찍기한 게 십상이 맞았다는 건 요행이었다. 찍어 맞은 게 독배인지 보약일지는 선뜻 떠오르지 않는다.

네가 찍기한 것처럼 모든 게 우합된다면 참 좋으련만 세상만사가 우이득중(偶爾得中) 하지 않는다는 것을 알아야 한다.

우리의 뇌는 반복해 훈련했을 때 잘 기억할 수 있다고 한다. 그것도 빠른 시간 내에 반복하는게 기억력을 높일 수 있다고 한다. 학생인 네게는 학습한 걸 그날 복습하는 게 우선해야 할 과제인 듯하다.

2007년 일본에서는 40년 만에 부활한 '전국학력고사'를 치렀다는데 평균 소득이 하위권에서 맴도는 아키타현이 전국 1위를 차지했다고 한다.

시골 지역에 위치한 아키타현 학생들이 1위를 차지한 건 자치정부가 '공부하기 좋은 환경'을 만든 것이 1등 공신이고 하지만 그보다 더 주요한 원인은 학생들이 집에서 복습한 결실이라고 한다. 부연하면 아키타현 학생들이 복습한 평균율이 74.5%, 전국 평균율은 30.1%에 그쳤다고 한다.

학습 위에 건강 있다. 생체 리듬을 적절히 안배해 학습의 효율성을 정중하게 했으면 한다. 밤늦도록 하는 게임은 바이오리듬을 혼미하게 하고 무기력화하게 해 기억력 저하는 물론이며 정상적인 학습을 할 수 없다.

수면 부족으로 인해 컨디션 난조로 게슴츠레한 것과는 사뭇 개념이 판이하지만 존 로크의 "건강한 신체에 건전한 정신이 깃든다."는 교육적 철학을 생각해 볼 문제다.

건강과 수명과 관련이 된다는 잠을 규칙 있게 숙면해야 되고, 복습과 복습을 반복해 희망 있는 미래에 추파를 던져 목표했던 대학에 진학해 원대한 꿈을 펼쳤으면 한다.

"잘했다! 열심히 하려는 의욕이 기분이 좋다. 더욱 열심히 힘내자. 파이팅!"

네가 다니는 한 학원 선생님이 시험지에 칭찬한 글이다.

괴발개발 한 네 글씨가 중심을 잡아 적확히 평형을 유지하고 있다. 작정하고 쓰기에 연습하고 노력한 결과일 것이다.

제비뽑기

이명박 정부가 들어선 지 얼마 안 된 2월 말 군산지방해양수산청 소속 기능직 공무원 11명이 제비뽑기를 했다고 한다. 방송도 활자매체도 보도했었다. 정부 조직 개편에 관련해 해양부 업무가 국토해양부와 농림수산식품부로 분리되자 11명 대다수가 국토해양부를 지망해 복불복이라 할 수 있는 제비뽑기로 제 갈 길을 판가름 지었다고 한다.

네가 다니는 고등학교 입학 기준이 거주자 우선적이었고 지원자가 넘쳐날 경우 추첨으로 입학이 결정되는 것으로 알고 있다.

너는 중학교 2학년 때, 외국어고나 과학고와 명문고는 아니나 서울에서 명문고로 정평이 나있는 지금 네가 다니고 있는 고등학교에 가겠다고 했다. 그즈음 네 급우(타반 학생들로) 중에는 네가 가고자 하는 지망학교 인근으로 주소를 옮긴 경우도 몇몇 있었다고 했다. 배정받는데 우선적으로 유리함을 선점하기 위해서였을 것이다.

그런데 결과는 그들 중에 1명만 배정됐을 뿐이고 주소를 옮겨놓지 않은 너는 배정이 됐다. 그래서 네가 "운이 좋았다."고 말했다. 학교 담임선생님, 학원 선생님 모두가 한결같이 네게 "억세게 운이 좋은 놈"이라고 말했다고 내게 말했다.

네가 제비뽑기식 같은 추첨으로 가고자 했던 고등학교에 입학할 수 있게 되고 보니 대학교 입시 시험도 구직 시험도 추첨에 의해서 결정된다면 어떨까 하는 생각도 해봤다. 각종 시험이 추첨해서 선발한다는 건 비현실적이고 있을 수도 없는 일인 것이다. 하지만 만약 그런다면 '입시지옥'도 자연스레 소멸되고 말 테니 얼마나 좋겠나 싶다. 그런다면 사회가 더욱 심화되는 양극화 현상도 좁혀질 것 같다. 달력을 보면 한 달이 크면 다음 달은 작다. 주먹을 쥐고 손등을 보면 손가락이 시작되는 관절이 높이 솟아 있고 계곡이 있다. 양지가 음지 되고 음지가 양지돼 순차적으로 순화돼 형평성이 균등할 것 같다.

윤회라는 말은 '차례로 돌아감'의 의미가 있는데 삶은 전생에서 이미 예정된 것이라 하고 가난한 천민도 다음 생에는 귀족으로 태어날 수 있다는 것이다. 힌두교에서 천민이 카스트 중 가장 으뜸인 브라만 신분으로 환생할 수 있다는 업과 윤회사상이 떠오르기도 한다. 다음 생에 귀족 계급도 좋지만 가난이 대물림 현상이 도드라져 심화되니 문제인 듯하다.

나는 네게 언젠가 우리나라에는 신분제도가 사라진 지 오래됐다. 하지만 어느 사회건 매한가지이기는 하나 신분제도에서 신분 못지않은 계층이 있다고 말했다. 그러면서 계층 간 격차는 극에 달해 있다고 말하기도 했다.

빈곤층과 상류층 간 대입은 가면 갈수록 산술급수적이다 못해 기하급수적으로 가는 듯한 양상이다. 그래서 제비뽑기식의 선별이 공평적 차원이라는 생각도 들어 엉뚱하지만 너절한 생각을 적어봤다.

추첨을 통해 네가 고등학교를 배정받은 것과 비등한 군산해양수산청 소속 기능직 제비뽑기는 공평하고 불만 없는 판가름이었고 무난하다는 것이다!

내가 유년 시절 또래들과 놀이를 할 때 가위, 바위, 보나 제비뽑기했던 시절을 보는 듯해 흥미진진하기는 하다. 내가 어린 시절 제비뽑기를 하고 나서 양 팀 균형이 균등치 않아 불만이 있은 적도 있었지만 복불복으로 치부하곤 했었다.

나는 제비뽑기가 보편적 가치에 불충분하고 비합리적이라는 생각도 들지만 얼토당토않은 도량이 만연할 때면 도리어 제비뽑기의 그 가치와 유용성을 새삼 느끼곤 하기도 한다.

한편 해양수산청 기능직 11명의 발령을 놓고 제비뽑기로 문제를 해결한 것은 좀처럼 보기 드문 일일 것이고 네가 맞닥뜨려야 하는 미래의 시험에서 단 한 번이라도 제비뽑기로 결정되지는 않는다는 것을 알았으면 한다. 즉 고등학교 입학처럼 추첨은 도래하지 않고 존재하지도 않는다는 것 말이다.

치망설혼

'주식투자의 전략은 교과서처럼 투자하라.'는 말이 있다. 한마디로 무턱대고 투자하는 것은 아니라는 것이다!

80년대 주식 붐이 농익고 있을 때였다. 주식에 일면관의 편린도 없는 내가 내게는 상당 금액을 주식에 투자했다. 속된 말로 '봉사 문고리 잡는다.'는 식이었던 결과는 불을 보듯 뻔한 실패였다.

'전투에서 지더라도 전쟁에서는 이기라.'는 말이 있는데 전투에서 졌더라도 전쟁에서 이긴다면 더할 나위 없이 좋을 테지만 나의 주식 투자는 백사장에서 흑진주 찾는 격이었고 기우에 불과했다.

전투에서 졌다고 해서 필연적으로 전쟁을 승리 못하는 건 아니겠지만 전투에서 승리해야 정작 순연적으로 승리할 수 있다는 말이다.

지난 너희의 초등학교, 중학교 시절이 불현듯 떠오른다. 네가 초등학교, 중학교 때 모두 전투에서 졌고 전쟁에서도 졌다고 해야 할 판이다. 네가 지난 두 학교에서 전투, 전쟁을 모조리 질 수밖에 없었다. 그러한 주요한 동인은 교과서를 경시한 것과 경청에 문제가 있었다고 본다.

소설가 복거일은 "재발견의 도로(徒勞, 헛되이 수고함, 보람없이 애씀)를 피하려면 지식이 뻗어나가는 맨 앞쪽으로 가는 길을 찾아야 한다. 그 일에서 교과서는 가장 좋은 길잡이"라고 했다고 한다.

도식적 같긴 한데 너는 지금 학생이고 교과서를 기초로 해야 한다.

그리고 어느 곳이 됐건 진지한 경청은 중요하지만 학교에서의 경청만큼은 더더욱 진지하게 경청하도록 했으면 한다.

네가 학교에서 학습시간에 선생님의 말을 제대로 듣는 습관이 성적을 높이는 지름길이고, 절대적으로 지향해야 할 사안이라고 생각한다.

미국의 작가 올리버 홈스는 "말을 하는 건 지식의 역할이고 듣는 건 지혜의 특권"이라는 말을 했다고 한다. 책을 읽고 많은 지식을 쌓아야 말을 잘할 수 있다는 것이고 경청을 잘한다는 것은 삶의 지혜를 쌓는다는 것이다.

『또라이 제로 조직』, 『역발상의 법칙』의 저자이고 인사행동 분야의 세계적 권위자 로버트 서튼(경영과학공학) 스탠버드대 교수가 〈동아 비즈니스 리뷰〉와 인터뷰에서 경청을 잘해 성공한 인텔의 전설적 경영자였다고 하는 앤디 그로브를 두고 "그는 자신의 아이디어에 도전하는 사람은 누구든 자신의 집으로 초대해 건설적 논쟁을 즐겼습니다. 결코 지위나 지식으로 상대방을 굴복시키지 않았고 자신이 틀렸다고 생각하면 존경을 담아 그 부하 직원을 칭찬했죠. 이것이 바로 경청의 힘입니다."라고 말했다고 하는 말을 또 한다.

『깊은 강』, 『침묵』 등의 작가인 일본의 엔도 슈사쿠는 어느 날 한 사람이 그에게 "말주변이 없어서 왕따를 당한다."고 하소연하자 "자기 말을 못하면 남의 말을 잘 듣는 재주로 역전할 수 있다."고 했다고 한다.

경청을 도외시했을 때 개인에게 문제가 따르기도 하지만 국가의 권력을 쥔 권력도 실권하는 예가 있을 것이다. 그 폐해는 국민이 입기도 한다.

중간에 가로놓인 횡경막에 막혀 그랬다고 봐야 하지만 박정희 정권도 이승만 정권도 어찌 됐든 경청에 문제가 있은 듯하다.

발전하고 성장하고 변화할 때 고통은 수반한다고 생각한다. 생치곤란은 변화하는데 전진을 위한 징표일 듯하다.

너는 지금 농익고 해박한 지적 지향점을 향해 전진 중이다. 너의 지적 능력이 농익도록 하는 데는 뭇 선생님들의 말 한마디 한마디가 네게 층중 될 때 가능하다고 생각한다.

까닭에 소홀한 경청은 모래성과 같은 부실한 동아줄을 양산하는 것이고 반생반숙을 자초하는 행동으로 파생상품을 무릇 가늠할 수 있다고 생각한다.

경청보다 말하는 것은 속도가 빠르다고 생각한다. '디지털 시대'에 속도 속도 하는데 손자병법 군쟁 편에 나오는 우직지계라는 말이 생각이 난다. 얼핏 보기에는 느리고 먼 길로 돌아서 가는 듯 뵈지만 실제로는 첩경으로 가는 길로 짐짓 돌아가는 척하는 계략을 뜻하는 말이다. 그렇듯 몰입의 경청은 우직지계의 계략일 듯하다. 은유하면 말은 강하고 경청은 부드러운 듯하기도 하다. 부드러운 건 유구하지만 강한 건 오래가지 못한다고 정설일 듯한 말을 뒷받침하는 치망설존(齒亡舌存)이라는 고사성어도 있다. 즉 혀는 사람이 90세 100세가 돼도 그대로지만 이는 다 빠져 없어진다는 말이다.

네가 입 밖으로 내뱉은 말은 말함과 동시에 시나브로 사라질 뿐이지만 경청은 네게 영원히 남기도 하다. 마이동풍은 네가 성장하는 데 방해 요인이고 추방해야 할 대상이다.

고대 그리스의 철학자 제논은 "많이 듣고 적게 말하기 위해 귀가 둘이고 입이 하나"라고 했다고 한다. 제논은 한편 "그만큼 어려운 일도 없다."고 했다 한다. 사람은 누구나 듣는 것보다는 말하는 것에 흥미가 있고 익숙한 듯하다.

우공이산이라는 말이 있다. '어리석은 사람이 산을 옮긴다.'는 뜻인데 어리석게 보이는 일도 끝까지 노력하면 일이 이뤄진다는 것이다. 비컨대 역도 선수들이 생각이 난다. 역도 선수들은 하루에 약 5만 kg을 들어 올린다고 한다. 그래서 국가대표 선수들이 4년 만에 열리는 올림픽을 대비해 그동안 "작은 산 하나를 들어 올린다."는 말이 있다. 너도 기대에 부응했으면 한다.

우리에게 남은 시간

인류가 달에 첫발을 디딘 지가 수십 년이 됐고 유럽연합은 왕복 480일이나 되는 화성을 향한 유인우주선 프로젝트를 발표했다고 한다.

문명이 발전한 이면에는 문제가 뒤따르기도 한다. 인류가 필요했던 화석연료는 지구온난화의 주범이라고 한다. 그리고 화석연료 고갈이 머잖았다는 게 주요해 대체에너지 개발에 혈안이 돼 있다고 한다. 심지어 화석연료의 최대 수혜자였던 사막의 나라 중동 아랍에미리트는 삭막한 사막에 무공해 도시 개발을 위한 공모에 들어갔다고 한다. 도시에서 사용하는 전량의 전기를 풍력 또는 태양열을 이용하고 거리에는 아예 차 없는 도시를 계획하고 있다고 한다.

문명의 발달은 온난화뿐만 아니라 환경오염을 몰고 왔다. 동서고금을 불문하고 도시가 있는 곳이라면 있다는 (강)물이 오염돼 물이 문제가 되기도 한다. 그래서 에너지 전쟁, 물 전쟁 또는 식량 전쟁 등이 대두되기도 한다.

중동에서 발생했던 전쟁 중에 에너지 때문에 발생한 전쟁도 있었고 라인강 등을 끼고 있는 주변국들은 한치의 경계도 늦추지 않는다고 한다.

에너지 전쟁 속에 자원은 에너지에 버금갈 텐데, 중국은 국토 면적도 넓고 자원도 풍부하다. 그런데도 중국은 자원이 되는 고철을 닥치는 대로 사들여 국제 고철 가격이 상승하기도 했다.

중국의 원자바오 총리는 자원외교에 사활을 걸고 발 벗고 나서기도 했다고 한다. 그는 직접 자원이 풍부한 아프리카로 날아가기도 하고 동분서주하는 모양이다.

우리나라의 이명박 대통령도 당선인 시절 자원 외교를 강조했다. 이명박 정부 국무총리로 지명된 한승수 내정자도 자원 외교에 역점을 둘 것을 강조했다고 한다.

중국의 인구는 세계의 25%를 차지하고 있다. 그래서 소비되는 식량도 많다. 자원도 많고 수십년 뒤면 미국과 대등하게 될 거라고 예측하는 사람도 있다고 한다.

중국은 현재도 발전하는 속도가 빠르다고 한다. 발전하는 속도에 비례해 음식생활 패턴도 바뀌어 육류 소비량이 증가하고 있다고 한다. 중국의 육류소비량 증가가 밀 가격 상승 요인이 되기도 한다고 한다. 쇠고기 1kg을 얻는 데 필요한 곡물 사료가 16kg이라고 한다. 세계 보건기구 및 식품농업기구의 계산에 의하면 1~2명이 1년을 먹을 수 있는 육류를 곡물로 계산했을 때 20여 명이 1년을 먹을 수 있는 곡물이라고 한다.

옥수수 자급량이 0.8%, 밀 자급량이 0.3%인 우리나라는 국제 곡물가 상승이 큰 문제라고 한다. 곡물가 상승은 곧 서민경제에 직격탄이라고 할 수 있다.

그리고 요즘 '바이오산업'이니 '바이오에너지'라는 말이 난무한데 여태껏 인류가 의존한 석유에너지 고갈에 대비해 개발한 에너지는 에탄올이라고 하는 물질이라고 한다.

바이오 에탄올은 옥수수, 콩 등에서 얻는 까닭에 상대적으로 밀 재배 면적이 줄어들고 있다고 한다. 더욱이 밀재배보다 바이오에너지원 재료가 되는 옥수수나 콩을 재배하는 게 수지타산이 더 높아 밀을 재배하는 농민이 줄어들고 있다고 한다. 인류의 식량을 소, 돼지 등이 가로채고 굴러다니는 자동차가 가로채는 것이다.

바이오에너지 생산이 밀가루 폭등을 불러일으키는 촉매제인 셈이다.

한정된 지구 면적에 인류는 날로 포화돼 가고 버거운 난제들이 들이닥치는 듯하다. 지구 온난화 문제, 에너지 문제, 물 문제, 식량 문제 등 뾰족이 하나라도 제대로 해결되는 것이 정작 아직 없다. 글로벌 난제 중에서 선제적으로 해결해야 할 게 식량 문제라고 생각하는데 "자연의 섭리를 거스를 경우 어떤 결과가 닥칠지 예상할 수 없으며 결국 그것이 인류의 재앙이 될지 모른다."(『청소년 부의 미래』에서 인용)는 우려의 목소리가 높지만 옥수수, 콩 등의 유전자 조작 농산물이 생산되고 있다고 한다.

세계적 미래학자 앨빈 토플러의 저서 『청소년 부의 미래』를 보면 유전자 변형 기술로 양질의 농산물을 생산하면 전 인류가 충분히 먹을 수 있는 식량을 생산할 수 있다. "기아만큼은 확실히 해결할 수 있을 것"이라고 적고 있지만 아직 미약한 듯하다.(엮은이 이노을, 청림출판)

도래한 애그플레이션에 대해 전문가는 이런 현상이 일시적 현상이 아닐 거라고 진단하는 모양이다. 가뭄으로 인한 재해 상황이라면 곧 되돌아올 수도 있지만 그런 유형과는 다르다는 것이다. 하기야 많은 밀을 생산하는 호주는 4년째 가뭄이 들어 밀 생산량에 영향을 주고는 있지만 말이다. 애그플레이션은 '경제공황'을 예고하는 건지 모르겠다는 생각을 갖는다. 애그플레이션 파장이 도미노마냥 연쇄적 물가 상승을 빚고 걷잡을 수 없는 '슈퍼인플레이션'이 문제가 돼서다.

애그플레이션이고 인플레이션이고 돈 많은 부자야 별 영향이 없을 것이다. 우스갯소리로 1997년 외환위기가 닥쳤을 때 많은 국민들이 버거워했을 때 진정한 부자가 아닌 졸부들 중에 "이대로 5년만 더 지속돼라."고 하는 가십이 시중에 떠돈 적이 있었다.

사회의 양극화 현상은 가면 갈수록 더욱 심화되고 있다. 문명이 아무리 발전해도 빈곤층은 있다. 빈곤층이 발전된 문명을 공유한다는 건 '그림의 떡'일 수 있다.

빌 게이츠는 2008년 '다보스 포럼'에서 "세상은 점차 좋아지고 있지만 그 속도는 충분히 빠르지 않고, 그 혜택이 모든 사람에게 골고루 돌아가는 것도 아니다."라고 말했다고 한다.

이명박 대통령은 당선인 시절 과천시 중앙 공무원 교육원에서 각료 후보자, 대통령실 합동 워크숍에서 "달라져야 한다.", "디지털 시대에는 월 단위의 계획은 맞지 않는다.", "월초, 주말, 내주 초쯤의 용어는 맞지 않다. 하루 단위에도 오전, 오후로 더 세분해야 한다."고 말했다고 한다.

네가 뭣이 되겠다고 하는 포괄적 꿈도 좋지만 이명박 대통령의 말처럼 보다 세부적인 계획을 세워 당장 실현가능한 것부터 차근차근 실천해 가는 것이 애그플레이션에도 문제없다고 본다. 꿈이라는 게 하루아침에 이루어지는 법은 아니다.

부시 대통령의 모교이기도 하다는 예일대가 수십 년 전에 예일대를 졸업한 사람들을 대상으로 조사를 했다고 한다. 이 결과 3%는 최고위층 리더가 되었고 10%는 부와 자유를 누리고 60%는 생계를 유지하는 정도이고 나머지 27%는 근근이 살아가고 있었다고 한다. 요컨대 리더가 된 3%는 비전 있는 목표를 정하고 주도면밀히 문서화한 사람들이었다는 것이다. 10%는 목표를 문서화했지만 요목조목 적지 않은 적당한 계획표였다고 한다. 보통 사람들이라고 해야 할까 생계를 유지하고 있는 사람들은 꿈과 희망이 있었지만 문서화하지 않았다는 것이다.

비록 미국의 명문 예일대를 졸업했지만 척박하게 근근히 살아가는 27%는 무엇을 어떻게 해야겠다는 희망과 꿈 목표의식이 불분명한 사람들이었다는 것이다.

미국의 비우량주택 담보 대출에서 시작한 경제 위기 속에 경제 호황을 기대하는 미국인들의 열망으로 당선된 미국 44대 대통령 버락 오바마는 "예산 한 줄 한 줄, 한 장 한 장 들여다보겠다."고 빈틈없는 경제의 회생의 의지를 보였다는데 머잖아 고등학교 2학년이 되는 네가 걱정이 된다. 한 나라야 임기 몇 년의 대통령이 잘못하면 다음 대통령이 잘하면 된다고 할 수 있을 테지만 개인은 그렇지는 않다고 생각한다.

네게 주어진 지금의 몇 년의 시간은 너희의 미래를 결정짓는다.

이과를 지망하려고 하는 너는 문과를 지망하려는 학생들보다 교과서도 몇 권이 많다. 그만큼 학습량이 많다는 증거다. 2학년 교과서를 이미 갖다 놓았다. 위기 상황임을 간파 못 하고 시간의 중요성을 인식 못 하고 있는 네가 교과서를 "한 줄 한 줄, 한 장 한 장 들여다본다."면 분명 해법이 되고 희망이 있을 것이다. 그런 자세가 절실하다. 미래의 꿈과 희망을 극사실로 그릴 수 있는 본질이 될 것이다.

네가 젖 먹던 어릴 적 유년기 시절이 떠오른다. 너는 여느 아이들과는 사뭇 다른 듯한데 잠을 자면서나 네 어머니 젖을 물고 먹기는 했지만 잠을 안 잘 때는 아예 모유를 먹으려 하지 않았다.

분유도 먹여 봤지만 분유 역시 잘 먹지 않았다. 그래서 네가 어느 정도 자랐을 때 한우고기를 쌀과 함께 믹서에 곱게 갈아 걸죽하게 죽을 만들어 억지로 떠먹이곤 했다.

그래서 네게 하는 말이 있었다. 한우 한 마리는 먹었을 거라고. 때문인지 너는 지금도 육류 음식을 좋아하는지 모르겠다.

스님을 제외하고, 나도 그렇고 거의가 그렇긴 하지만 더더욱 너는 애그플레이션을 유발하게 한 원인 제공자라고 할 수 있다. 어쨌거나 어쩔 수 없었다면 이제는 공헌할 자세가 필요하고 공헌하도록 해야 한다. 너는 물리학자가 되겠다고 공언하고 있다. 대체에너지 개발은 네가 추구하는 것과도 상당 부분 일맥상통한다.

재앙이 촉발되지 않는 안전한 저탄소 대체에너지 개발이 요긴한 때다. 지구온난화 예방 오존층 파괴를 막는 아이디어에 현상금도 걸려 있다. 아이디어를 개발해 받는 상금을 기아로 허덕이는 사람에게 돌려주면 '노벨 평화상'감이고 노벨 물리학상은 따놓은 단상이다. 2개의 상을 거머쥘 수 있다!

너는 네가 가고자 했던 고등학교에 운 좋게 다니고 있다. 가고자 했던 학교에 다니는 게 중요한게 아니고 얼마만큼 열심히 노력하느냐가 중요하다. 네가 중학교에 다닐 때 언젠가도 말을 했는데 네 중학교 3년은 실패한 거나 다름없다. 실패한 3년을 산삼, 녹용 등이 든 보약으로 생각해야 한다. 실패한 경험을 발판으로 삼아야 성공으로 가게 하는 디딤돌이 되게 노력해야 발전할 수 있다.

2008년 2월, 영국의 세계적 축구 선수 프리킥의 달인 '황금 발'이라는 별칭이 있는 베컴이 한국에 왔다. 그에게 프리킥을 잘할 수 있는 비결을 묻는 질문에 "연습 연습 또 연습"이라는 간단명료한 대답이었다고 한다.

노무현 전 대통령이 퇴임하던 날 서울역에서 열차를 타고 고향에 내려갔다. 고향에 내려간 그는 개인 홈페이지를 개설하고 첫 글을 올렸다. '안녕하세요, 노무현입니다.' 제목을 달고 "한 손에는 이삿짐을 들고 한 손에는 걸레 들고 바쁘게 움직이고 있다." 근면하고 성실함이 정곡을 찌르고 극치인 듯하다.

네가 가고자 하는 대학교 '포항공대' 아직 충분히 가능하다고 생각한다. 하지만 시간이 충분한 건 아니고 네 마음가짐의 생각에 따라 충분하다는 것이다. 지금이 겨울 방학이고 어언 고등학교 1학년이 다 지나간다.

내가 가끔 하는 말인데 늦었다는 것을 네가 깨우쳤으면 한다. '애늙은이' 말이다.

"겨우 열여덟 살이지만 어리광이라곤 30대 아저씨 같아요. 완전히 애늙은이에요."라고 언론에 공개된 수영 선수 박태환의 어머니가 했다는 말이다. 한편 그의 어머니는 아들이 세계를 제패한 비결로 정신력을 들었다고 한다.

일되는 사람이 있기에 늦되는 사람도 있는 것인데 '큰 그릇을 만드는 데는 오랜 시간이 걸린다.'는 뜻으로 대기만성이라는 사자성어가 있다. '크게 될 사람은 늦게 이루어진다.'는 말이다. 입지전적인 인물 중에는 대기만성형이 많다는 말도 있다.

아인슈타인도 비로소 세 살이 됐을 때 겨우 첫마디의 말을 했다고 한다. 대기만성의 표증인 듯하다. 열여덟 살인 네가 아직도 천방지축이고 늦되기가 비할 데 없는, 네 내면에는 무한량한 잠재력이 내재돼 있다. 과학, 수학이 특출한 데서도 명증한다.

마중물을 충분히 부어 가공할 만한 잠재력이 발현되게 해야 미래가 보인다. '무엇이' 되겠다고 하는 것도 중요하지만 '어떻게' 해야겠다는 건 더 종요롭고 종이에 세세히 적는 것과 같다고 생각한다. 『10년 후』라는 책의 저자이면서 광고 전문가인 미국의 그레그 레이드는 그의 저서에서 "꿈을 날짜와 함께 적어 놓으면 목표가 되고 목표를 잘게 나누면 계획이 된다. 계획을 실행에 옮기면 꿈이 현실이 된다."고 했다는 말은 네게 필요한 말인 듯하다. 호랑이를 잘못 그리면 고양이가 되고 만다는 말이 있다. 꾸준한 노력 없인 포효할 수 있는 호랑이를 그릴 수 없다는 말이다.

불과 얼마 전 네가 "컴퓨터 게임을 안 한다."고 했다. 차제에 표변해 애늙은이가 됐으면 한다.

그런다면, "행동과 마음이 합쳐지면 하늘도 이긴다."는 속담도 있듯 네가 했던 말에 행동이 뒷받침될 것이다. 사막의 모래가 한 알 한 알 모여 부지불식간에 적소성대, 모래 언덕을 이루듯 천하무적의 로드맵이 중첩될 것이다.

2009년, 올해로 에디슨이 전구를 발명한 지 130년째 되는 해다. 인류의 문명을 선도했던 백열전구, 전구는 인류의 발명품 중에 최고라고 한다. 인류의 최고 발명품이지만 지구온난화, 기후변화에는 맥 못 추고 있다. 에너지 효율성이 떨어져 지구의 온난화를 유발한다는 이유로 우리나라에서는 산업 현장을 제외하고 2013년이면 자취를 감춘다니 말이다. 세계 각국도 백열전구 퇴출에 동참하고 있다고 한다.

온난화돼가는 기상변화로 우리나라에서 폭우가 내리는 발생빈도가 35년 사이 두 배로 증가했다는 발표도 있었다. 연례행사처럼 닥치는 장마도 무색해져 2009년부터 예보를 않는다고 한다. 문명의 발전만큼에 경쟁하듯 대칭을 이루는 듯한 기상변화의 속도도 빠른 듯하다. 이에 태평히 시간을 허투루 허비하는 건 안일하기 짝이 없다고 생각한다. 불과 얼마 전 컴퓨터 게임 안 한다고 했다. 입이 몇 개인지 모르겠다.

하루에 모니터 앞에 수 시간은 족히 있는 네가 검색해봐라. 인터넷 검색에서 가장 많이 검색되는 단어가 Time(시간)이라고 한다.

때맞춘 듯 2009년 새해 벽두 네가 인터넷을 통해 손목시계를 구매했다. 모처럼 네 컴퓨터가 제 몫을 했다.

"네가 시계를 샀는데 시계란 뭔 줄 아냐?"며 "너희처럼 굼뜬 사람에게 요긴한데, 정확성을 요구하는 것"이라고 네게 말했다.

시간의 개념이 무딘 네가 구입한 시계를 계기로 시간의 중요성을 체득하게 하는 쿼크가 됐으면 한다.

부모와 자식의 거리

2008년 12월 초순이 지나간다. 2학기 기말고사가 머잖아 네가 시험공부를 핑계 삼아 학원에 안 간다. 그러고는 시험공부와는 동떨어지게 컴퓨터 게임에 매달렸다. 그것도 자정이 지나기 일쑤이고 두세 시, 심할 때는 새벽 다섯 시가 되도록 게임을 했다. 시험기간에도 새벽 두세 시까지 게임을 했다.

평소 게임을 하곤 했지만 돌발적이었고 황당무계했다.

기말고사의 결과는 자명했다. 네가 잘한다는 수학, 과학, 영어 중에 수학은 1등급을 받았지만 과학이 2등급이었고 영어는 4등급으로 추락했다.

시험을 "잘 봤냐, 못 봤냐?" 식의 일언반구도 안 했던 나는 네가 영어 학원에 기말고사 성적표를 갖고 가려고 할 때 "4등급이 뭐냐." 며 "역지사지로 만약 내가 학원 선생님이라면 그냥 두지 않겠다. 회초리로 종아리를 후려 갈기든가 하지 학원의 자존도 있고."라고 말했었다.

내 말에 너는 웃으면서 "컴퓨터 게임 안 하려고 누적된 돈(포인트)을 판매했다."라고 말하고 "열심히 공부하려고 한다."고 말했다. "고가로 잘 팔았냐?"고 했더니 "대충 팔았다." 했다. 시험이 끝난 지 얼마 안 됐는데 시험 중에 선제 컴퓨터 게임을 했냐는 듯이 카멜레온처럼 외양을 변신해 엊그제와는 사뭇 동떨어진 네 말을 들은 나는 기복이 리아스식 해안 같기도 해 믿어야 할지 말아야 할지 대단한 의문이 있었다. 어쨌든 운전을 하고 있던 나는 "차가 멈춰서야 할 때는 브레이크 페달을 밟는다."며 "네가 정작 브레이크를 밟아야 할 때 페달을 밟는 듯하다."고 말했다. 내가 말하는 사이 켜놓은 라디오 방송에서 불교의 사리에 대해 나온 모양인데 들은 네가 "사리가 뭐냐?"고 했다. 짐짓 나는 음력으로 보름과 그믐날 조수가 가장 높게 드는 때를 말하는 것이며 바닷가에서 음력은 유용하게 쓰인다고 했다. 그게 아니라며 불교의 '사리'를 묻는 것이라고 되물었다.

입적한 스님을 화장한 뒤 수습한 보석 같은 영롱한 구슬을 사찰의 사리탑에 모셔두는 것으로 알고 있다고 했다. 그러자 너는 내 말이 떨어지기 무섭게 기다리기라도 한양 잽싸게 "다음에 시골에 가면 인근에 있는 절에 가자."고 했다.

그래서 나는 "그때 절에 가도 되고, 며칠 있으면 겨울 방학이 시작되는데 짧긴 하지만 '전국 일주 7일 여행'을 하자."고 했더니 네가 "공부를 해야지 여행할 시간이 없다."라고 말했었다.

네게 "물론 2년 있으면 중요한 수능시험이 있고 때문에 허투루 허비할 시간이 녹록하지 않은 게 명징하지만 참다운 여행을 하고 나면 느끼고 배우는 점이 7일 동안 공부하는 이상이 될 수 있을 뿐더러 생소한 체득은 자양분이 돼, 네 미래에 많은 영향을 미칠 수 있다."고 했었다. 너는 "대학교에 진학해 전국 일주 여행을 해도 늦지 않다."고 네 의견을 개진했었다.

내일모레면 방학인데 나와 함께 일주일 동안 전국 여행을 하든 안 하든 네가 대학 시절 전국적인 여행을 하든 진작된 네 생각에 찬사를 아끼지 않는다. 새로운 결정에 꿈과 희망, 열정이 집적될 듯하다. 미국 뉴요커지에 기고하는, 『티핑 포인트』, 『블링크』의 저자인 맬컴 글래드웰은 『블링크』에서 "우리는 새로운 상황에서 결정을 할 때 순간적으로 솟아나는 생각을 갖게 되는데 그 순간은 2초 정도로 짧지만 매우 강력하다."라고 적혀있다고 한다.

『백만불짜리 습관』 저자 브라이언 트레이시(용오름 출판, 서사봉 옮김)는 책의 제4장 '성공에 이르는 습관' 편에서 "당신은 자신의 삶을 통제하는 만큼 행복해진다."라고 쓰고 있는데 게임중독을 의심할 정도인 네 행동을 제어하는 것 같아 네 밝은 미래가 투명하게 투영돼 스쳐 지나가는 것 같다.

그리고 이번 기말고사 동안에 야기된 문제에 방점을 안 찍는 건 무책임하고 방임적 태도 같아 지적하지 않을 수 없다.

가족이라는 건 주어진 숙명이라고 해야 할까 가까이 지내는 것이지만 때로는 어느 누구보다도 갈등이 생기고 심화돼 그로 말미암아 소원해지는 경향이 다분한 듯하다. 이번 너희의 기말고사 때만 해도 다소나마 아니 상당히 불미한 불협화음이 있었다.

"품 안에 자식이 자식"이라는 말이 있는데 "자식은 한 달에 한 걸음씩 멀어진다."는 게 진리이고 진리일 것이다.

순연하듯 그런 자연적 진리지만 불협화음은 간격을 닦달해 한 달에 한 걸음이 아니라 몇 걸음을 멀게 할 것이다! 부모와 자녀 관계는 떼려야 뗄 수 없는 불변진리이지만 감정의 지수까지도 부인할 수는 없다.

한 달에 한 걸음씩 멀어진다는 자녀와의 관계, 누가 말했다고 한다. 자녀와의 사이는 더도 말고 덜도 말고 "죽이 식지 않을 정도의 거리가 돼야 한다."

대통령과 기업,
공정한 경영의 경계

우리나라의 대법원에는 판결을 치우침 없이 공정해야 한다는 뜻이 함축적인 동상이 있다고 한다. 평형을 유지한 저울을 들고 있는 여인상이다.

평형적 바로미터는 국가 경영도 마찬가지여야 할 것이다. 그래서 이러한 동상이 청와대에도 있었으면 좋겠다.

올해 광화문에 세종대왕 동상이 들어선다. 기존의 세종대왕 동상이 책을 들고 있는 것처럼 광화문에 들어선 새로운 동상도 책을 들고 있기는 매한가지라고 한다.

이명박 대통령이 '중도실용주의'를 드러낸 이상 "광화문에 있는 세종대왕 동상은 평형을 유지하는 저울을 들고 있었으면 좋겠다."는 생각을 했다. 이명박 대통령이 중도실용주의를 표방한 때와 광화문에 세종대왕동상이 약 3개월 반 늦은 시기에 세워지게 돼 더욱 그런 생각을 했다. 동상은 한글날인 10월 9일에 세워진다.

이명박 대통령은 대통령 선거에 출마했을 때 재산을 기부할 뜻을 밝혔다. 어떻게 쓸 건가는 유용성과 격조 있는 방법이 뭔가에 초점이 모아지는 것 같다. '부자가 서민의 아픔을 모른다.'고 하는데 이명박 대통령은 몸소 체득하려 하는 자세로 부자로 말할 것 같으면 참 부자일 것이다.

세계적으로 최고 부자 빌 게이츠가 틈만 나면 기부를 해 '기부문화'의 지평을 열고, 기부에 관한 한 대부가 되었듯이 말이다. '컴퓨터 황제' 빌 게이츠의 기부가 바이러스가 번지듯 일파만파로 전파됐으면 한다.

언감생심인데 이명박 대통령이 내친김에 세종대왕이 롤모델이면 어떨까! 미국의 최초 흑인 대통령 버락 오바마가 에이브러햄 링컨 대통령을 롤모델로 하듯이 말이다. 남북전쟁을 승리로 이끌었고 노예를 해방시켰고 "국민에 의한, 국민을 위한, 국민의 정부"라는 민주주의의 근간이 되는 말로 유명한 미국의 16대 대통령 에이브러햄 링컨이 '중도실용주의'였다고 하니 더구나 그런 생각을 해본다. 미국인들에게 추앙받은 대통령이고 성공한 대통령이기에 더더욱 그런 생각을 한다.

이명박 대통령이 이미 세종대왕이 롤모델이고 벤치마킹에 진입했는지 모르겠다. 세종대왕이 농업(서민, 농민)에 많고 많은 관심을 보였듯 이명박 대통령이 재래시장도 방문하고 농촌도 방문해 '서민행보'의 보폭을 증대시키니 말이다. 이명박 대통령의 서민행보야말로 참 좋은 것 같다.

하지만 작년 말부터 최근까지 이명박 대통령이 한 말을 보면 앞뒤가 다소 괴리가 있는 것 같다. 예를 들어 보자. '중도 실용 노선'을 표명한 올 7월에는 "기업이 정부 탓만 해서는 안 된다.", "금융위기는 경영인들이 윤리를 망각한 채 탐욕스럽고 무책임하게 경영을 했기 때문"이라는 말을 했다.

청년 실업자가 날로 증가하는 판에 기업이 잘 돼야 고용시장이 안정되고 청년 실업자가 줄 텐데 말이다. 고용시장 완화와는 다소 배치되는 말 같다.

그리고 이명박 대통령이 2008년 말 "어려운 사람들이 빨리 빈곤에서 벗어날 수 있도록 도와주는 게 진정한 복지"라며 "그러려면 일자리를 주는 게 중요한데 이는 기업이 잘돼야만 가능한 일"이라고 말한 적이 있다.

그리고 물론 부자 중에는 기업인이 많을 텐데 부자는 부자이고 기업은 따로라고 생각한다. 다시 말하면 부자에게서 적정 부자세를 징수한다든가 하고 기업은 절대 우대해야 한다는 것이다. 물론 악덕 기업은 반드시 '손봐야'하지만 말이다.

새 정권이 들어설 때마다 '개혁', '개혁' 한다. 하지만 개혁에 성공했다는 말은 못 들어봤다. 개혁은 두루 이루어져야 하지만 악덕 기업을 이 잡듯 솎아내는 일이 선제적으로 선행돼 성공했을 때 진정한 개혁이라고 생각한다.

악덕기업이라고 함은 예컨대 요즘 어려운 경기인데도 운좋게 흑자를 내면서도 어려운 구직난을 빌미 삼아 닦달하는 것이다. 즉 흑자를 내면 연봉인상은 마땅한 데도 도리어 연봉 협상서 연봉을 낮춰 제시하는 것이다. 실제 나의 큰아이가 경험한 일이기도 하다. 나의 아들은 자그마한 벤처기업, 개인회사에 다녔었다.

세종대왕은 우리나라에서도 가장 통치를 잘한 성군으로 꼽힌다. 세계적으로도 열 손가락 안에 들 것이다. 아니 세종대왕이 세계 제일이었다고 해야 할 것이다. 세계 제일의 통치자였다고 할 만한 조건이 절대 충분하다. 예를 들면 칭기즈 칸, 나폴레옹 등을 떠올리는데 그들은 무예에 기반하지만 세종대왕은 책을 들고 있는 그의 동상에서 문예가 외연한 것처럼 성군다운 그의 통치력은 무예가 앞선 이들보다 뛰어났다.

외부로부터의 침략을 배척하는 등 천하제일 태평성대를 이룬 데서만 해도 반증하기에 충분할 것이다. 그뿐이 아니다. 세종대왕은 지리적으로 먼 유럽에서는 이미 르네상스 시대였고 국내적으로는 모든 게 녹록했지만 천문학, 과학 등에 지평을 열었다.

그중에서도 영원불멸하게 밤하늘에 영롱한 별들처럼 빛나는 것은 그가 창시한 한글이다. 어쩌다 영어가 세계 공통어가 되어 안타깝지만 말이다. 그래서 영어를 모르면 답답한 세상이 됐지만 만약 우리나라가 미국처럼 근대 발전을 이뤄 달을 정복하고 화성에 탐사선을 보내는 등 일찍이 세계를 평정했더라면 모르면 모르되 이야기는 달라졌을 것이다. 영어 위에 한글일 것이다. 영어를 잘해 케네디를 만났고 유엔 사무총장이 된 반기문 총장은 영어를 잘하지만 미국의 공중파 방송은 아직 그를 인터뷰 한번 한 적 없다고 한다. 일찍이 우리가 세계를 평정했다면 그런 일은 없을 것이다. 한글이 영어보다 우수하다고 한다. 세계에서 가장 우수하다고 하는 글을 창시한 통치권자가 동서고금을 통틀어 누가 있는가라는 것이다.

그리고 세종대왕과 훌륭하기가 쌍벽을 이루는 광개토대왕이 말이 나왔으니 말이지. 고구려 시대에는 우리의 땅이었던 곳, 즉 중국이 지금의 국경 안에서 발생한 역사를 중국의 역사로 만들기 위한(동북공정) 프로젝트가 만들어져 진행되고 있다고 한다. 다시 말하면 역사를 왜곡, 날조하는 사업 말이다.

이에 대응책의 하나로 우리나라는 각국을 순회하며 '고구려 벽화 전시회'를 갖고 있다는 말도 들린다. 인도네시아 찌아찌아족에 '한글을 수출'해 문자가 없던 찌아찌아족들은 문자를 갖게 됐다고 한다.

역사를 거슬러 올라가면 우리나라에는 대왕이라는 칭호가 광개토대왕과 세종대왕뿐이다. 그만큼 위대하다는 것이다.

세종대왕은 농업을 장려하고 농경시대인 당시 서민들의 주류가 되는 농민을 우대했다고 한다. 예를 들면 세종대왕은 전제상정소를 설치해 전제와 세제를 정비하고 흉년이 들면 세금을 낮춰 백성의 안정을 도모케 했다고 한다. 조선시대 세종대왕이 흉년이 들면 세금을 감면해 줬듯 100년에 한번 올까 말까 한다는 글로벌 위기 속, 경제난에 허덕이는 서민에 획기적 지원책은 요원할까!

무릇 세종대왕은 눈높이가 서민적이었고 요즘 말로 '중도실용주의'라는 생각이 든다.

'농자천하지대본'이라 했듯, 세종대왕 시대에는 농경 시대이고 농업은 국가의 근간이었다고 할 수 있을 것이다.

시력과 희망,
그 사이

안과에 가 서너 가지 검사를 받았다. 2차 수술을 받은 뒤 2개월째 되는 날이었다. 1차 수술을 받은 때는 약 2년 반 전이다.

이번 검사 중 한 가지는 이랬다. 안과에서 대부분의 검사처럼 의자에 앉아 턱을 얹고 이마를 붙이고 전방을 주시했다. 물론 한쪽 눈을 단단히 가림막 하고 좌우 눈을 교대로 검사했다.

전방을 주시하는데 넓은 대우주가 펼쳐진 캄캄한 밤하는 같았다. 중원에는 달처럼 노란색의 점이 있었다. 정말로 막막한 세상 같았고 수술을 받은 입장에서 사람이 태어나 무채색만 볼 수 있다는 게 교차했다. 먼저 수술받지 않은 눈부터 검사했다.

마치 유성우처럼 불빛이 반짝이면 즉시 버튼을 누르는 것이었다. 금새 '번쩍' "번쩍' 하는불빛은 불규칙하게 움직였다. 불빛이 크고 작고 제각각이었다. 멀리서 반짝이기도 하고 가까이서 반짝이는 것 같기도 했다. 타임머신으로 시간을 돌려놓은 듯 한여름 밤에 평상에 누워 하늘을 보며 유성우를 본 어린 시절이 생각이 났다.

눈이 시큰거린데다 반짝이는 불빛의 속도를 유성우와 같을 거라고 생각했었다. 그렇다면 0.2초에서 0.3초마다 분명코 불빛이 움직였을 터인데 불빛에 버튼을 누르는데 따라 하기 바빴다.

가림막을 반대로 하고 수술받은 눈 검사에 들어갔다. 중원에 있는 달 같은 노란색의 둥근 점부터 확연히 차이가 났다.

"시작하세요."라는 간호사의 말에 따라 불빛을 찾기 시작했다. 검사실에는 나 혼자 검사를 받고 있었는데 한동안 버튼을 누르는 신호음이 없었다. 방음장치가 완변한 건지 외부의 소음이 들리지 않았다. 불빛을 발견하지 못하고 있기 때문에 버튼을 누를 수 없어 버튼음이 날 리가 없었다는 것이다.

두 번째 수술받은 뒤 자가진단으로 한쪽 눈을 가리고 시력테스트를 했었는데 수술받은 눈이 잘 보이지 않아 수술받은 지가 얼마 안 돼 그러려니 하고 생각하면서도 한편으로는 우려했던 실망감이 앞섰다.

10여초가 지났을까! 유성우를 발견했다! 불길한 예감 속에 그나마 단비를 만난 기분이었고 한 줄기 희망이 생겼다 '유성우가 사라지기 전 소원을 빌면 꿈이 이루어진다.'는 말이 생각이 났다.

순간, 시작부터 10여 초 동안 반짝이는 불빛(유성우)을 발견 못 한 나는 검사 내내 유성우를 발견 못 하면 어찌하겠나 싶었는데 말이다.

불현듯 나는 이 검사가 약시 치료였다면 얼마나 좋겠나 싶었다. 즉 '가림치료' 말이다. 가림치료라는 것은 약시 치료로 프리즘을 쓴다든가 약물을 넣어 한쪽 눈을 흐릿하게 하는 가림치료를 해 정상으로 돌아오게 하는 것이기 때문이다.

내가 받은 수술은 더 진행을 지연시키는 예방적 차원이었기에, 다시 말하면 이미 손상된 시신경은 재생시킬 수 없는 것이기 때문에 '줄기세포' 논문이 논란이 됐던 황우석 박사가 떠올랐다. 줄기세포로 손상된 뇌세포나 시신경을 치료할 수 있다고 했기 때문이다. "과학에는 국경이 없지만 과학자에게는 조국이었습니다(루이파스퇴르의 말)." 라고 논문사건이 나기 전 황우석 박사가 했다는 말을 적는다.

검사 받은 결과는 예컨대 수술받지 않은 정상의 눈이 유성우를 1,000개 발견했다면 질환으로 수술받은 눈은 100개나 200개를 발견했을까 말까 했다.

"왜 이래요?", "술 드세요?", "스트레스받으세요?", "피곤하세요?" 수술을 집도한 의사의 검사 결과의 말이다.

안압이 오르고 있다는 것이다. 그는 이어 "이제 어떠한 방법이 없어요."라고 했다. 솔직히 나는 실망이 커 어안이 벙벙했다. 수술을 받은 뒤 수술 결과가 좋다고 했고 1차 수술 때는 저수지의 물을 수로로 흐르게 하는 것처럼 눈에 수로를 만들어 눈물이 잘 흐르게 하는 것이었지만 2차 수술은 한층 고차적으로 눈에 배수관을 묻어 눈물이 더 잘 흐르게 한다는 것으로 보다 완고하고 완벽한 장치로 생각해왔던 터였기 때문이다.

의사 선생님은 "한 달 후에 봅시다. 그때 가서 얘기합시다. 그동안 점안액은 하루에 두 번 점안하고요."라는 말을 듣고 나는 수술받은 눈이 분명 시력이 약화된 것 같아 "안경으로 업그레이드하면 수술한 눈의 시력을 어느 정도 되살릴 수 있습니까?"라고 말하려 했던 말을 하지 못한 채 병원문을 나서면서 키네토스코프가 발전해 지금의 영화가 된 것처럼 머잖아 불치의 안과 질환도 발전해 치료의 길이 열릴 것이라는 생각이 들었다. 내가 받은 검사의 발전상이 마치 키네토스코프 같아서였다는 것이 아니고 구멍을 통해 들여다보는 것이 같다는 것이다.

키네토스코프라는 것은 영사기다. 1889년에 에디슨과 딕슨이 공동으로 발명한 세계 최초의 영사기라고 한다.

이 영사기는 지금과 같이 스크린으로 영화를 상영하는 것이 아니라 필름으로 찍힌 것을 키네토스코프에 나있는 구멍으로 들여다보는 것이라고 한다. 키네토스코프 하나에 한 사람이 들여다보면서 구경하는 방식이었다고 한다. 지금의 게임방에 게임기 하나에 한 사람이 매달려 게임하듯이 말이다.

1891년에 특허, 1893년에 시장에 선보인 키네토스코프가 상영시간이 15초였지만 영화의 효시라고 한다.

이것도 지구의 일상

오늘이 12월 1일 올해도 마지막 달이다. 그야말로 돌고 도는 사이클이다.

지구가 오염됐다고 지구나 우주가 늙어 주름살이 생기지는 않아 보인다. 이달이 가면 너희들에게 하릴없이 한 살이 부가된다. 네 어머니에게도 내게도 마찬가지다.

11월 30일, KT가 '아이패드'를 판매 개시했다. 아이패드를 구입하기 위해 장사진을 쳤다고 한다. 새벽부터 말이다.

아이패드라는 것은 미국의 '애플'사가 많든 휴대용 PC(컴퓨터)로 널빤지를 닮았다고 해 '태블릿PC'라고 한다고 한다.

그야말로 날만 새면 새로운 것이 쏟아지는 것 같다. 이에 반해 서민들의 경제는 더 어려워지는 것 같다. 취업난이 국가적 현안으로 대두되고 있다. '노동부'가 '고용노동부'로 바뀐 지 한참됐다. 오죽하면 고용노동부로 하겠나 싶어 취업난을 실감하게 된다.

아르바이트로 생계를 꾸려가는 '프리터세대'가 늘고 있는 추세라고 한다. 프리터세대가 느는 것만 해도 취업난을 방증하는 것이고 너희들의 고충을 충분히 이해할 만하지만 방 안에 꼭꼭 틀어박혀 있는 너희들에게 말했다.

'자식교육 마음대로 안 된다.'고 하는데 한계를 느낀다고 말을 시작했다. 심지어 인도의 유명한 간디도 자식들 때문에 속앓이를 한 것 같으니 무지렁이인 나쯤이야 오죽하겠냐 싶다. 간디의 아들이 그의 아버지가 세상을 떴는데도 장례식에 불참했다고 한다.

간디 하면 '비폭력'의 대명사로 고착화 돼가는데 그의 일화 하나 적어보자. 그가 올라탄 열차가 막 움직이기 시작할 때 공교롭게도 그의 신발 한 짝이 벗겨져 기차 밖으로 떨어지자 그는 일부러 남은 신발을 밖으로 떨어뜨렸다고 한다. 이유가 뭐냐는 한 승객의 질문에 "어떤 가난한 사람이 바닥에 떨어진 신발 한 짝을 주웠다고 생각해 보십시오. 아마도 그에게는 아무 쓸모가 없을 것입니다. 하지만 이제는 나머지 한 짝마저 갖게 되지 않았습니까?"

열심히 해도 모자랄 판인데 날이면 날마다 컴퓨터에 얽매이는 너희들에게 말을 잇는다. 나는 오늘도 신문을 읽다 모르는 단어가 나와 인터넷에 검색해 해결했다.

컴퓨터는 나에게 많은 도움을 준다. 선생님 역할을 하니 말이다. 하지만 인터넷을 중단시켜야 할지 모르겠다. 앞으로 너희들이 내가 집에 있을 때는 컴퓨터 게임을 하지 말라고 경고한다. 적어도 내가 보는 데서는 게임을 하지 말라는 것이다.

게임에 일삼는 것은 너희들의 개인 기회비용은 물론이러니와 사회적 비용만 불리는 데 일조가 되고 말 것이다.

사회적 비용을 늘리는 행위는 국고를 낭비시키는 행위로 너희들의 책임을 타인에 전가하는 행위다. 청소년들의 과도한 인터넷 사용으로 발생하는 사회적 손실비용이 자그마치 연간 2조 2,000억 원에서 많게는 9조 원에 달한다고 한다. 잠시라도 생각해보라. 우리나라는 부존 자원이 전무한 나라다. 예컨대 너희들이 즐겨 먹는 짜장면, 라면 등의 주재료가 밀가루다. 밀가루의 자급량이 3%도 아닌 고작 0.3%라고 한다. 자원이 부족한 우리나라는 무역으로 살아가는 나라이다. 어마한 사회적 비용을 늘리는 일에 계속 동참해야 하는가를 고민해야 할 것이다.

게임에 의한 사회적 해악이 어마한 만큼 게임 업체의 사회적 '책임의식'을 느껴야 한다는 지배적인 여론도 있다. 보편적이지 않고 합리적이지 않는 행동으로 사회적 비용을 늘리는 것은 귀책사유에 충분할 것이다. 몇십 년 후에 분명코 벌금을 내려는 자의적 자세가 절실해 보인다.

너희들이 스스로 알아서 하기를 바라는 뜻에서 너희들을 '방목'한 나는 예전과는 사뭇 다르게 통보하는 방식을 취한다.

아이패드를 구입해 게임을 하든지, 스스로 알아서 하라는 것이다. 아이패드를 구입하는데 78만 원이고 월 데이터요금 4만 원을 지불하면 22만 원에도 구입할 수 있다더라.

빠르게 전개되는 시대에 방안에 쳐박혀 우물안 개구리 같아 여간일이 아닌데 아이패드를 구입한다면 우물안에서 벗어날 것 같은 생각이 들기도 한다. 휴대하고 다닐 수 있으니 밖에 나갈 것이라는 것이다.

나는 너희들을 보면서 농경사회에서 설날을 즈음한 풍습이 생각이 난다. 설날부터 정월대보름때까지 설연휴가 이어졌다. 너희들이 컴퓨터 앞에 앉아 있는 것이 꼭 농경 사회 때 농민들의 설연휴 같다는 것이다. 하지만 농민들은 틈틈이 할 일은 다했단다. 단적인 예로 때가 되면 소죽을 끓이고 말이다.

농민들의 말이 나왔으니 망정이지 농민들은 "아무리 뱃가죽이 주려도 새봄에 파종할 종자를 식량으로 하지는 않는다."

참말로 너희들은 봄에 파종할 종자를 곶감 꼬치에서 곶감 빼먹듯 하는 것 같다. 아마도 지금 빼먹는 곶감이 달지는 모르겠다.

『마시멜로 이야기』라는 책이 생각이 난다. '마시멜로'는 미국에서 사랑에 비유되기도 한다. 이 책을 음식으로 비컨대 주식재료가 설탕이고 당연히 단맛이다. 단맛은 단맛의 미뢰를 요동치게 할 것이다. 고진감래, '고생 끝에 낙이 온다'고 이 책의 이야기는 눈앞의 작은 만족과 재미를 냉철히 뿌리쳐야 출세할 수 있고 성공할 수 있고 미래가 밝다는 교훈을 주고 있다.

너희들에게 게임 올림픽이라고 하는 '월드사이버게임스(WCG)'에 출전하기도 하고 기왕 게임에 매달릴 거라면 차라리 게이머가 돼라고 한 적이 있는데 게임에서 얻는 이익이 얼마만큼인지? "같은 일을 반복하면서 다른 결과가 나오기를 기대하는 것보다 미친 짓은 없다."고 아인슈타인이 말했다는데 말이다.

사람에게는 내가 지금 하는 일이 공정한가 아닌가를 판단하고 분별하는 '공정본능'이라고 하는 능력이 있다고 한다. 네게 지닌 공정본능이 바로 섰으면 한다.

지금 사회는 '공정사회'가 이슈다. '개천에서 용 나는 시대는 끝났다.'는 부정적 시각이 지배적이지만 우리 사회, 우리나라는 개천에서 용 나는 천국일 리 모른다는 생각이 든다.

세계적 경제 불황이 요원지화로 닥쳐 빈부격차의 양극화가 더욱 심화되지만, 즉 신분제 아닌 계층 간의 간극이 밑동 우듬지 같지만 말이다. 신분제도가 뚜렷한 인도 같은 나라에 비하면 노력 여하에 따라 성공할 수 있다는 것이다.

가수가 되기 위해 14살부터 단 하루도 쉼 없이 노래하여 케이블 TV의 '슈퍼스타 K2'에서 우승한 허각이 있다.

정부 홍보지 '위클리 공감'에 따르면 '방송통신위원회 2011 업무보고'에 참석(청와대)한 그는 "제게 공정사회라는 것은 꿈이 있는 사람에게 꿈을 실현할 수 있는 공정한 기회를 주는 것이고 노래하면 그 기회가 오는 사회"라고 말했다고 한다.

한편 청와대에 다녀와서 트위터에 "청와대 잘 다녀왔습니다! 멋진 곳이었어요."라는 등을 남겼다고 한다.

"인생은 오늘이다."라고 말한 가수가 있다. 김연자다. 큰아이 너의 머리를 쓰다듬은 가수이기도 하다. 불현듯 떠올라 적어본다.

트롯트 가수인 김연자는 국내에서도 성공한 가수이다. 그는 이에 만족하지 않고 보폭을 넓혀 일본으로 건너가 성공한 가수이기도 하다.

그가 어느 날 방송에 출연했다. 좌우명을 묻는 질문에 "인생은 오늘이다."라고 했었다.

가수 김연자가 "예쁘다."며 너의 머리를 쓰다듬은 때는 바야흐로 약 28년 전, 네가 네댓 살 무렵이었다. 그때 기억이 생생하다. 나이트클럽에 납품하러 갈 때 엘리베이터 앞에서 만났었다.

고모 같고 이모 같은 가수 김연자의 좌우명 "인생은 오늘이다."가 늦게나마 쓰다듬었던 그 손을 통해 네게로 전이됐으면 참 좋겠다.

나는 너희들이 유대동물 같은 생각이 들 때가 있다. 새끼가 어미의 아기주머니에 안겨 다니는 캥거루, 주머니여우, 왈라비, 유대하늘다람쥐, 코알라, 웜뱃 등이 있다. 유대동물 중에 재밌는 웜뱃의 특징을 말하고, 원래 생각했던 말을 하겠다.

여느 유대동물과 달리 웜뱃은 아기주머니가 뒤로 향해 있다고 한다. 항문 밑에 말이다. 초식동물인 웜뱃이 아기주머니 속 새끼가 머리를 내밀거나 풀을 뜯을 때는 마치 하나의 개체에 머리가 뒤쪽인 항문 밑으로 하나 더 있는 것 같아 기괴하고 별의별 동물이라는 생각이 들어 재밌다는 것이다.

나는 말한다. 유대동물 같은 너희들은 180 종류 이상의 유대동물들의 천국인 호주에 살았으면 한다. 호주는 우리나라와는 아주 특별히 인연이 있는 나라이기도 하다. 초대 대통령인 이승만 대통령 부인인 프란체스카 여사의 고향이다.

나는 너희들에게 "널리 나가라."라고 말한다. 몇 제곱미터도 안 되는 인트라넷(내가 생각건대 너희들이 하는 인터넷 게임이 지역적 인터넷 게임이라는 것이다!)이 되지 말고 세계적 인터넷이 되라는 것이다.

'자식은 품 안일 때 자식'이라는 말이 있듯 '자식은 한 달에 한 걸음씩 멀어진다.'고 한다. 본의 인간은 유대동물이 아니지만 임신 때 너희들이 유대동물이라고 차치해 간주하더라도 네가 어머니와 연결된 탯줄을 끊음과 동시에 유대동물은 이미 아니다.

사람은 어쩜 태어나면서부터 독립성이 내재된지도 모르겠다. 미국의 필라델피아 아동병원의 조사 결과가 있다.

이 병원은 17개국을 상대로 3만 명을 조사했단다. 3년간 진행한 연구결과, 서양 아이들은 12%가 부모와 함께 잤고 아시아 아이들은 65%가 부모와 함께 잤다고 한다.

요컨대 부모와 함께 자는 아시아 아이들의 수면시간의 질이 좋을 것 같은데 결과는 그 반대였다고 한다.

생각건대, 태어나서 처음하는 소리 "응애"가 본초적 '독립선언'인지 모르겠다. 서양에서는 대부분 18세면 독립한다고 한다.

큰아이 너는 백령도에서 잠깐이나마 군복무를 한 적이 있다. 백령도는 서해 5도, 백령도, 대청도, 소청도, 연평도, 소연평도 중 최북단이고 북의 장산곶과 마주하고 있는 최전선이다.

2010년 11월 연평도에는 포성이 있었다. 불안을 느낀 1,700여 명의 주민은 육지로 대피했다. 하지만 이들은 위험을 무릅쓰고 며칠이 되지 않아 하나둘 삼삼오오 형해화한 고향으로 돌아가고 있다고 한다.

나는 너희들에게 그게 사람이 사는 것이라고 말하고 싶다. 다시 말하면 우리가 하루하루를 사는 데는 돈 없이는 살 수 없다는 것이다. 그래서 생계가 막막한 주민들이 고향으로 돌아가 어망을 꿰매는 등 생업을 준비한다는 것이다. 국가가 돈을 주는 것이 아니다.

하지만 어떤 일이 있을 때 지원금이나 위로금 등 십시일반적 성금을 받는 일은 있지만 말이다. 이번 연평도 사건 때도 한 방송사가 성금을 모으는 방송을 하기도 했다. 성금을 기탁하기 위해서 말이다. "앞이 어둔 우리 부친 구할 길이 전혀 없어 밥 빌러 왔으니 한술씩만 덜 잡수시고 십시일반 주시면…"이라고 고픈 배를 해결하려고 호소하는 심청가는 십시일반의 대명사다.

영국의 심리학자인 리처드 와이즈먼 교수는 스스로 자기가 '불행하다'고 부정적 사고를 하는 사람과 '행복하다'고 긍정적 사고를 가진 사람들을 상대로한 실험을 했다고 한다.

우선 그는 심리적 테스트를 거쳐 불행하다고 생각하는 사람과 행복하다고 생각을 하는 사람을 분류했다.

와이즈먼 교수는 미리 매일 접하는 신문 안쪽에 "이 광고를 읽은 사람에게는 100달러를 주겠다"고 써놓고 신문에 게재된 사진을 세어보라고 제시했다. 결과가 놀랍다. 긍정적 사고로 행복하다고 자처한 대부분 글귀를 읽었지만 부정적 생각을 한 많은 사람들이 글귀를 발견하지 못했다고 하니 말이다.

와이즈먼 교수가 발견한 것처럼 네가 긍정적 사고를 하는 것만도 기저가 될 것 같은 생각이 든다. 사람에게는 세 가지 금이 있다고 한다. 소금과 현금, 지금이다.

주식이 바닥을 치다 상승하기 시작하면 기저효과라고 해야 할까 하늘 높은 줄 모르고 치솟을 때가 있다. 더 이상 내려갈 바닥이 없는 네게도 기저효과가 만발했으면 참 좋겠다.

'밑바닥이 밑바탕'이 됐으면 좋겠다. 지금의 상황을 '고난의 행군'이라고 생각했으면 좋겠다. 현상계적 '헝그리 정신'이라도 발현됐으면 좋겠다.

엔도는 "인생에서 헛된 것은 아무것도 없다. 좌절, 실패, 질병 속에서도 한 오라기의 가능성을 구체화할 수 있는 '생각의 힘'만 있다면 과거의 손해도 이익으로 역전된다."고 말했다고 한다.

'포로와 프로는 점 하나 차이'라고 하는데 너희는 지금 대전쟁에서 붙잡혀 포로가 된 느낌이다. 포로가 됐다면 탈출을 기도해야 할 것이다.

베트남전쟁 때 포로가 된 미국의 제임스 스톡데일이라는 장군이 생각이 난다. 그는 막연한 생각보다는 신념으로 버텼다고 한다. 그는 적군에 붙잡혀 하노이 수용소에서 무려 8년 동안 포로생활을 하는 온갖 고문을 당했다고 하는데 "막연한 생각을 가지기보다는 냉혹함을 인정하면서도 생존해서 나간다는 신념을 버리지 않았다."고 했듯 네가 가진 무형의 지적 재산이 몇 점인가를 냉철히 판단하고 포로에서 벗어난 프로가 됐으면 한다.

서울시가 운영하는 인문학 강좌를 수강하는 것도 프로가 되는 지름길일지도 모르겠다.

인문학 하면 고리타분하고 진부하다고 할지 모른다. 인문학은 대학에서 인기 없는 학과라고 한다는데 재인식돼 조명되고 있다는 소식을 접한 것 같다.

인문학 서적에는 정치, 경제, 사회등이 망라됨은 물론이러니와 사람에게 필요한 규범을 설파한다. 집에는 『명심보감』, 『논어』, 『맹자』 등이 있는데 동양의 인문학 서적이다.

심오한 독해라면 더욱 좋을 것이고 눈요기만으로도 일익이 될 것이다.

"인생의 목적은 끊임없는 전진이다. 그 길에는 언덕이 있고 냇물이 있고 진흙도 있다. 걷기 평탄한 길만이 있는 것이 아니다. 먼 곳을 가는 배가 풍파를 만나지 않고 고요하게만 갈 수는 없다."는 니체의 말이 생각이 나는데 강한 파고가 강한 선장을 만든다는 말이 있듯 섭리인 궂은 날, 흐린 날의 대처 능력에 따라 삶이 달라지나보다 기업도 매한가지일 것이고 말이다.

우리 집 장롱 속에는 카메라가 사장돼 있다. 필름 카메라이다. 새것에 밀려 편리성 유용성을 상실한 이유다.

아날로그 필름 시대에 코닥은 전성기를 누렸다. 으레 '필름' 하면 코닥이었다. 요컨대 말이다. 코닥은 일찍이 아날로그 시장을 사장시킬 디지털 '촬영 기술'을 세계 최초로 개발했음에도 불구하고 디지털 시장을 선점하지 못했단다.

그동안 지배하고 있던 코닥의 필름시장이 아까워 디지털카메라의 사업화를 늦춘 게 독이 됐다는 것이다.

우리의 미래,
성공과 후회

공부를 열심히 해 자력으로 대기업에 입사한 상당수가 1년 안에 그만 둔다고 네가 어떻게 배기고 버틸 수 있을지 걱정이다. 요즘은 자격증 시대다.

벌써 너의 나이가 서른세 살이다. 지금부터 네가 직장 생활을 한다고 해도 언제까지 할 수 있을지를 생각해 볼 필요가 있다. 요즘 말이다. 40대에 명퇴를 하는 등 직장을 그만두는 사람들이 비일비재하다고 하니 말이다.

나는 너의 어머니를 28살에 만났다. 시대의 차이로 요즘 결혼 적령기가 늦어지는 추세이지만 말이다. 서른세 살 나이면 결혼을 했어도 진즉 했어야 했고 아이를 두었어야 할 나이다.

나는 말이다. 등용문하지 못한 사람은 자식이라도 일찍 두어야 한다고 생각한다. 출산율 저하가 문제가 되는 요즘 시대에 국가에 충성하는 물론이거니와 나보다 나은 자식을 갈망한 데서 말이다. '자식이 부모보다 나아야 한다.'고 하는데 일찍 낳아 훈육하는 게 현명할 것 같아서다.

가뜩이나 수명이 늘어나는 시대인데 자신의 노후대책도 세워야 할 것이므로 그게 낫다는 것이다.

시대는 '1등 시대'이다. 올림픽에서도 1등이 아니면 특별한 조명을 받지 못할 뿐더러 기업의 상품도 1등이 아니면 조명을 못 받기는 매한가지다.

삶은 근대 올림픽 창지사인 쿠베르탱의 올림픽 강령과 같은 삶이 성공적 삶이고 참다운 삶일지 모른다는 생각이 든다.

쿠베르탱의 올림픽 강령은 이렇다고 한다. "삶에서 가장 중요한 것이 성공보다 노력이듯이 올림픽에서 무엇보다 중요한 일은 승리가 아니라 경쟁 그 자체이다. 핵심은 이기는 것이 아니라 잘 싸우는 것이다."

2000년 호주에서 열린 시드니 올림픽에서 일본의 다카하시 나오코가 여자 마라톤의 우승자였다. 일본 여자 육상 사상 전대미문이었다고 한다.

소설가 무라카미 하루키는 다카하시 나오코가 우승한 시드니 올림픽 현장을 보고 책을 쓰기 위해 답사한 뒤 "나는 승리 이상으로 '깊이'를 사랑하라고 평가한다. 인생에서 필요한 것은 승리라는 것이 아니라 후회 없이 싸우는 것이다."고 했단다.

노벨 물리학상(1976년)을 수상한 딩자오중이 "시험 1등이 모든 것을 대표하는 것은 아니다. 시험은 다른 사람이 이미 해결했던 문제를 해결하기 때문"이라고 했듯 1등만이 필시 성공을 좌우하는 것만은 아니라고 생각하지만 고금을 막론하고 성적과 성공은 불가분한 관계일 것이다.

옛날의 과거 급제나 지금의 고시에 합격하는 것 등은 등용문이라고 해야 할 것이다. 등용문에 관한 고사는 이렇다. 중국 황허강 상류에 하진(河津)이라는 고을이 있었다고 한다. 하진을 용문(竜門)이라고도 하는데 하진보다는 인지도가 용문이 높았다고 한다.

지명에서 용이 들고 나는 용의 문일 것 같은 황허강의 용문은 물살이 가파르고 불순해 배가 드나들 수 없었단다. 가파르고 거친 물살은 배 만들고 날기를 못한 것이 아니었다. 물고기들 마찬가지였다는데 오르고 올라 거친 이 급류(용문)를 오른 물고기만이 용이 됐다는 데서 유래됐다고 한다.

근본적으로는 뇌를 가진 동물이 다 마찬가지일 테지만 '사람이 뇌가 있는 건 승리하기 위해 있는 것'이라는 말이 있다.

'작은 우주'라고 하는 뇌는 몸무게의 2~3%에 불과하지만 97~98%의 몸무게를 지배한단다. 80kg 체중이면 약 2kg의 뇌가 78kg을 지배하니 참말로 놀랍다. 뇌는 대단히 바쁜 것 같다. 뇌가 명령해 하루에 5만 가지를 생각한다고 한다. 그 가운데 95%는 걱정거리라고 한다. 95% 중 90%는 일어날 가능성이 전혀 없는 것까지도 생각한다니 말이다. 그뿐만이 아니다. 어떠한 일에도 5만 가지를 생각한다고 한다.

'신비의 뇌'는 때로는 감정이 이입돼 9%의 나트륨이 함유되니 눈물을 만들게 작동하기도 하고 '거울 뉴런'이라는 세포는 도파민 등의 물질을 만든단다.

한국과 일본이 공동 개최한 월드컵 때는 '붉은 악마'의 길거리 응원이 만개했었다. 하나가 되어 말이다. 관객인 응원은 선수 못지 않게 신바람이나 움직였다. 당시 아마 모르면 모르되 거울 뉴런 세포가 발동해 도파민을 만들어 보이지 않는 안개가 가득했을 것이다! 온 대한민국이 말이다. 승리하거나 기대할 때 나타난다는 물질 말이다.

이런 물질은 시뮬레이션(목표)에도 생성된다고 한다. 희망을 안고 전진을 위해 꿈을 갖는 것 말이다.

페로몬이라는 물질이 있다고 한다. 이 물질은 동류에게 어떤 행동을 유발하게 하는 물질이라고 한다. 즉 위험을 알리거나 이성을 꾀하게 하는 것이라고 한다.

우리 모두 피땀 흘리며 싸우는 스포츠 게임을 즐겨보자. 그들의 땀에는 분명히 페로몬이라는 물질이 넘쳐날 테니 말이다.

2010년 중국의 광저우에서 아시안 게임이 있었다. 종합 2위를 차지한 대한민국은 많은 금메달을 땄다. 그 가운데는 펜싱에서 딴 금메달도 있다. 펜싱은 양 선수가 같은 길이의 검을 들고 싸운다.

펜싱을 TV로 보면서 알렉산드로스 대왕이 욱일승천했던 시대가 문득 떠올랐다.

마케도니아군과 스파르타군과 전쟁이 있었다. 막강한 첨단 무기로 미국이 세계를 평정하듯 우수한 무기는 전쟁을 승리로 견인할 수 있는 첫째 여건일 수 있다. 미국이 베트남전쟁에서 패한 것은 지극히 이례적일 것이고 말이다.

마케도니아군과 스파르타군의 무기는 비대칭이었다. 이 전쟁에서 마케도니아군의 창 '사리사'는 길이가 무려 4미터가 넘었고, 스파르타군의 칼날의 길이는 고작 60센티미터에 불과했다고 한다.

절감한 스파르타군의 한 병사가 그의 어머니에게 "사리사로 무장한 마케도니아군과 어떻게 싸워야 하느냐?"고 물었다고 한다. 아들의 말에 어머니는 "몇 걸음 더 나아가 찌를 수밖에 없다."고 말했단다. 전진을 하라는 것이다. 용기 말이다.

반복되는 말이다. 사람이 귀가 두 개인 것은 안경을 걸기 위해서고 콧구멍이 두 개인 것은 코 후빌 때 숨 막히는 것을 예방하는 것이고 눈이 앞 뒤에 하나씩 있지 않고 앞에만 두 개 있는 것은 전진하기 위해서라는 말이 있다.

전진을 위한 일보후퇴가 아니라면 후퇴할 필요가 없다. 운동을 위한 뒷걸음질이라면 또 몰라도.

몽골에는 늑대를 보면 행운이 따른다는 말이 있다는데 "용감한 사람이 늑대를 본다."는 속담이 있다고 한다. 그래서 몽골 사람들이 늑대를 보기 위해 애쓴다고 한다.

용기 없이 어디 늑대를 볼 수 있겠느냐! 몽고는 우리나라와 같을지 모른다. 우리가 태어날 때 몽고반점도 같고 생김새도 거의 같다. 몽고족의 특징은 용맹하고 신의가 두터운 게 특징이라고 한다.

'경영학에서 성공보다는 실패가 더 학습에 효과적'이라는 게 정설로 귀결된다. 반면교사 말이다. 미국의 나사는 우주인을 선발할 때 실패한 사람을 0순위로 우대한 적이 있다고 한다.

인류가 최초로 달을 밟을 아폴로 11호에 승선할 우주인을 선발 당시 '실패했던 사람을 특별히 우대합니다.'라는 조건으로 모집했다는 것이다.

실패를 경험하지 못한 사람은 난관에 부닥쳤을 때 대처 능력이 부족하다는 것이다. 암스트롱이 달에 첫발을 내디딘 사람이다.

미국의 샌프란시스코에 있는 트위터 본사에는 "내일은 더 나은 실수를 하자"는 회사 모토가 벽에 걸려 있단다.

우리나라의 한 회사 광고가 떠오른다. 이 광고는 대학입시에 실패한 한 학생이 "나는 실패한 것이 아니라 실패에 대처하는 법을 배우고 있다."라고 마음을 새롭게 다짐하는 광고 말이다.

많은 사람들이 좌우명을 갖고 있을 것이다. 너희의 좌우명은 반면교사가 적합할 것 같다는 생각을 해봤다. 미적댄 과거를 교훈 삼으라는 것이다.

인간관계 심리학자 데일 카네기가 "성공은 원하는 것들을 얻는 것이고 행복은 얻는 것들을 원하는 것"이라고 한 이건지 저건지 내 머리는 다소 한계를 느끼는 말과 러시아의 발레리나 안나 파블로바가 "성공은 행복이 아니라 행복은 잠시 나타나서 우리를 즐겁게 해주고 날아가 버리는 나비 같은 것"(집에는 안나 파블로바에 관한 책이 있다.)이라고 한 말이 생각이 나는데 사람은 행복하기 위해 사는 것이라고 해야 할 것이다. 그리고 행복은 성공과 밀접한 관계가 있을 것이다.

사람에게는 행복하기 위한 유전자가 있다고 한다. 그 유전자가 무려 50%, 10%는 돈 학력 환경 등이고 노력이 나머지 40%를 차지 한다고 한다.

에디슨은 "천재란 99%가 땀이며 1%가 영감"이라고 했다고 한다. '발명왕' 에디슨이 말했듯 99% 노력이라고 말이다. '누구나 성공할 수는 있어도 노력 없이는 아무나 성공 할 수는 없는 법'일 것이다.

보석도 원석을 갈고 닦아야 빛을 발하듯 하루 아침에 이뤄지는 것이 아니다. 많은 시간이 필요하다는 것이다. '1만 시간의 법칙' 말이다. 아참! 우리나라도 다이아몬드 생산국가가 됐다고 한다. 아프리카에서 탄광개발사업을 수주했다는데 노다지 탄광이면 참 좋겠다.

갈고 닦아야 할 시간을 무가치한 일에 쏟다 기회를 잃고 종국에는 기회비용을 치를 수밖에 없는 상황이 도래할 수 있다.

시간이라는 것이 '공짜'가 아니라는 것을 몸소 체득해야 할 것이다. 목표가 없는 사람보다 목표가 있는 사람이 60배의 성공률이 높다고 한다. 미래를 영화처럼 각색해야할 것이다. 밑그림을 그리고 아름답게 색칠해야 할 것이다. 구체적으로 말이다. 주도 면밀한 고차방정식이면 금상첨화일테지만 그게 아니면 미련이면 충분할 것이다. 미련은 담벼락도 뚫는다는 말이 있다. 초원의 집처럼 보다 아름답게 말이다.

"저 푸른 초원 위에 그림 같은 집을 짓고 사랑하는 님과 함께 살고 싶어…"라는 노랫말이 떠오른다. 팝페라테너 임형주가 쓴 「100

세 시대 맞은 제2, 3의 변주곡 준비됐나요」라는 제목의 칼럼을 읽었다. 2011년에 나이가 만 25세이고 '기부천사'이고 '애늙은이' 별명을 가진 그는 새해가 되면 검사항목 100개가 넘는 '종합건강검진'을 받는단다. 임형주는 칼럼에서 "인생의 긴 여정 속에 평생 한 가지 일에만 몰두하고 명예롭게 세상을 떠나는 일은 행복하다. 하지만 인생이 길어진 만큼 우물을 파는 일에 대해서도 필요하지 않나 싶다."며 '은퇴할 즈음에는 문화예술사업가로 오케스트라 음악 감독을 맡는 것과 칼럼리스트 활동의 꿈을 갖고 있다.'고 썼다.

'앞으로 먼 얘긴데 무슨 제2, 제3의 인생 계획은 세우느냐?'는 말을 듣는다는 그는 "인생에서 한창의 시간을 쓰고 있지만 시간은 기다려 주지 않는다. '벌써'가 아니라 '이미' 제2의 인생을 생각하고 계획을 실천해 나가야 맞다. 서두를수록 말년의 인생이 풍성해질 것이라 믿는다."고 말했다.

미국의 '월스트리트'저널 블로그는 50개 투자 자무노히사를 관리하는 억만장자가 "부자가 되고 보니 소유에 더는 흥미를 잃게 됐다."며 전 재산을 사회에 기부할 것이라고 보도했다는데 무소유와 인간의 욕망이 교차한다.

사회심리학자 에리히 프롬은 "소유와 욕망에는 한계가 없어서 소유지향적 삶은 행복하기 힘들다."고 했다지만 인간의 욕망에는 소유에 있지 않나 싶다. 더는 몰라도 우리처럼 돈에 주린 사람들은 말이다.

법명보다 '무소유'가 더 유명할 것 같은 법정 스님은 선물 받은 난화분에 물을 주면서 집착을 깨달을 만큼 무소유의 대명사다.

법정스님은 생전에 『일기일회』, 『무소유』, 『아름다운 마무리』 등의 저서들의 인세로 돈이 생기면 불우이웃들을 도왔단다.

법정스님은 자신이 죽거든 절판할 것과 화장을 한 뒤 사리 수습마져도 하지 말 것을 당부했다고 한다. '무소유의 아름다운 마무리'를 한 것이다!

그런데 말이다. 참말로 아이러니컬한 것 같다. 법정스님이 세상을 뜬 뒤 무소유가 소유로 변질된 것 같으니 말이다. 단적인 예로 『무소유』가 품귀현상까지 빚어 온라인 상거래에서 100만 원을 호가했으니 말이다. 인간들의 물욕을 실증하는 단적인 예같다.

'시간이 돈'이라는 말이 있다. 무소유를 설파한 법정스님이 "(사람은) 시간 속에서 살고 죽기도 하는데 시간을 잘 쓰면 살고 무가치하게 사용하면 죽는 것"이라고 했다는 말을 적는다.

돈을 많이 벌어 성공한 60대에 "돈이 많아 무엇이든 살 수 있을텐데 살 수 없는 것은 무엇이냐"고 물었단다. 이들이 대부분 '청춘'을 사겠다고 말했단다. 90대에게는 "지금까지 살아온 인생에서 가장 후회되는 일은 무엇이냐?"고 물었단다. 이들은 한결같이 더 많은 '모험'을 하지 않은 게 후회라고 했단다. 한편 이들 역시 대부분 20대(청춘)로 돌아가고 싶다고 했단다.

성공한 이들의 공통적 메커니즘은 시간의 활용이었을 것이다.

1초에 승부가 엇갈려 승자와 대비되는 장면이 떠오른다. 제113

회 보스턴 마라톤 여자부에서 있었던 일이다. 신문에도 나왔었고 TV도 보도했었다. 1초 뒤져 우승을 놓친 전 대회 우승자 디레투네(에티오피아)는 화면 왼쪽에 쓰러져 옆으로 누운 채 있었다. 우승자인 살리나 코스게이(케냐)는 결승선을 지나 두손을 번쩍 들어 맞잡아 정수리에 올린채 여유작작 걸어가고 있었다.

시계가 "째깍째깍" 86,400번 하면 하루가 지나간다. 반지름이 6,363㎞인 지구가 어김없이 한 바퀴 돈다는 것이다. 비호같다는 생각을 해본다. 아니 비호는 말도 안 되는 것 같다. 둘레가 39,960㎞인 지구가 돌고 도는 사이클이 초속 643미터라고 하니 그렇다. 고속도로 규정속도가 초당 약 17초이니 무려 약 38배나 빠른 속도이다.

지구가 이렇게 빠르게 도는 것을 우리는 감지를 못하지만 삶이라는게 지구의 속도에 따라 도는 것이 만고불변의 진리이고 섭리일지 모르겠다.

지구가 빠르게 도는 만큼이나 세상이 진화하는 것 같다. 단적인 예를 들어보자. IT(정보기술)산업 하면 미국의 실리콘벨리가 떠오르고 빌 게이츠의 '마이크로소프트'도 거기에 있다고 하는데 (실리콘밸리는 먼지와 습도가 적어 IT산업에 지역적으로 천혜의 환경을 갖고 있다고 한다.) 미국의 뉴욕타임스는 자사가 발행한 130년 동안의 신문 1,100만여 장을 찍은 이미지 파일을 PDF(읽기 쉬운 문서 형식)로 교체하는 데 자사 컴퓨터로 14년이라는 기간이 소요될 걸 클라우드 컴퓨팅으로 단 하루만에 해치웠단다.

슈퍼컴퓨터로 작업을 수주한 클라우드 컴퓨팅 회사는 240달러 한화로 따져 27만 원 정도를 받았다고 한다.

1초에 643미터를 자전하는 지구에 사는 우리가 1분 1초를 유용하는 데 경각해야 할 것 같아 에드워드 할로웰의 말을 적고 싶다.
"당신은 당신의 시간을 어디에 어떻게 쓰는지 아는가. 돈은 동전 한푼까지도 어디에 어떻게 쓰는지 낱낱이 적는 사람이 많다. 그렇지만 내가 알기로 자신의 시간을 마지막 일분일초까지 어디에 어게 쓰는지 꼼꼼하게 적는 사람은 없다."

우리는 이렇게 빠르게 도는 땅을 밟아가며 살아가고 있는데 움직이지 않는다는 것은 죽음을 의미하는 것일 것이다!

유기적으로 움직이는 우주속에 만약 지구가 멈춘다고 가정하자 동식물을 포함한 모든 것들이 한순간에 날아가 버릴 것이다. 80만 종의 곤충 120만 종의 동물 30만 종의 식물이 말이다.

지구에 사는 우리의 삶은 어쩜 지구가 도는 속도만큼이나 빠를지 모르겠고 유기적으로 움직이는 하나의 유기체라고 할 수 있을 터이므로 유기적으로 움직여야 할 긴요성을 느낀다.
(부화뇌동)움직이지 않는 것은 지구가 멈춰 버릴 때 모든 것을 날려버릴 것 같은 것과 대동소이할 것이다. '퍼펙트 스톰'을 맞는다는 것이다. 퍼펙트 스톰이란 초대형 태풍을 뜻하는 말로 어려운 경제 상황을 의미한다고 한다.

재난을 소재로 한 〈퍼펙트 스톰〉라는 영화도 있다. 이 영화는 대서양 북부(글로스터 근처) 한복판에서 발생한 태풍을 소재로 한 소설을 각색한 것이라고 한다.

2011년 벽두부터 물가 상승이 도미노처럼 이어지고 있다. 경제 정책에 말이다. 잘 쓰지 않는다는 연초 금리 인상을 단행했다. 후반기에 금리 인상을 또 단행할 거라는 말이 떠돈다.

백화점, 대형 건물 등의 실내 온도를 20도 이하로 낮출 것을 경고했다. 인간이 살아가는 데 최적의 온도가 27도라고 한다. 서민들에게 직결되는 얼마나 다급한가를 보여주는 단면도 같다. 그야말로 이것이 퍼펙트 스톰이지 또 다른 퍼펙트 스톰이 뭐 있겠나 싶다.

'껌값'이라는 말이 있는데 껌값 개념의 껌값이라는 말은 옛말 같다. 1,000원 1,200원의 신개념의 껌이 부지기수고 효시적 옛날 껌 형태의 껌이 500원 하다 최근 700원으로 인상돼 가고 있다. 이미 700원으로 인상된 것도 있다.

요즘 말이다. 장바구니 물가가 천정부지로 급등하자 "쪼개서라도 아끼자"고 '커팅상품'이 날개단 듯 불티나게 팔린다고 한다. 커팅상품이라는 것은 과일이나 야채 등을 반으로 쪼개거나 더 잘게 조깨 소포장해 판매하는 것을 말한다.

그런데 말이다. 생각해 보자. 쪼개고 쪼개고 절약하는 일 말이다. 부존자원이 전무한 나라에서 살아가는 국민으로서 근검절약은 마땅히 습관화해야 할 필요성을 느끼지만 말이다.

쪼개고 쪼개다 주린 감이 허기지게 팽배하면 인간이 누리고 향유하는 고품격 고품질의 삶이라고 할 수 없을 것이다. 주린 시대였던 수원국이었던 시대라면 몰라도 지금은 자타가 공인할 만큼 공여국 시대와도 절대 부합되지도 않다.

'소비가 미덕'이라는 말과 일맥상통할 것 같은 '돈은 쓰려고 번다'는 말이 있는데 '개같이 벌어 정승같이 쓰면' 인간다운 삶을 향유할 것 같다.

'돈은 돈다고 해서 돈이라고 한다.'는 우스갯말도 있다. 그리고 '돈이 돌아야 경제가 산다'.는 말이 있다. 돈을 잘 쓰면 내 삶은 물론 이러니와 국가적으로 호황적 경제를 견인하는 일도 될 것 같다. 노벨경제학상을 1995년에 수상한 미국의 시카고대 로버트 루커스 교수가 했다는 말을 적고 싶다. "경제 성장이 인류의 복지에 미치는 영향은 실로 엄청나다."

우리가 사는 지구가 기상 이변이 속출해 '몸살'을 앓고 있다. 2010년, 아이티 지진이 발생해 23만 명이 희생됐고 칠레에서도 지진이 발생해 많은 피해를 냈다. 곳곳에서 지진과 해일, 폭우와 한파 등 종류도 다양하다.

유럽에서는 화산이 폭발했다. 한동안 항공기 이착륙이 금지되고 화산재가 한국의 상공까지 날았다고 한다. 인도네시아에서도 대화산 폭발이 있었다.

2010년 30년 만의 '성탄 한파'가 서울에 찾아왔다. 서울에 기온이 영하 16도 12월 기온으로 30년 만에 최저 기온이라는 것이다.

올 1월 4일에는 서울에 25.8㎝의 폭설이 쏟아져 서울이 마비됐다. 1937년 기상 관측 이래 최초 기록이라고 한다. 9월 21일에는 259.9밀리미터 폭우가 서울에 쏟아졌다. 국지성 폭우는 좁고 좁다고 할 수 있는 서울의 지역적 편차가 컸다. 양천구가 폭우로 피해가 큰 지역의 하나다. 추석 연휴가 시작되는 첫날에 내린 폭우는 귀성길을 마비시키기도 했다.

2010년 여름은 유난히 더웠다. 지구촌 곳곳에서 '찜통' 더위가 지속되자 온난화가 시작되는가의 우려가 있었다. 하지만 농단하는 양 겨울이 되기가 무섭게 북반구가 꽁꽁 얼어붙고 있다. 최근 몽골에는 폭설에다 기온이 영하 50도 가까이 곤두박질쳤다고 한다.

유럽도 한파는 몰아쳐 항공기 두절 사태까지 몰고 왔다는데 특히 영국은 25㎝라는 폭설과 영하 18도까지 내려갔다는데 17년 만의 폭설이고 11월의 최저기온을 기록했단다.

이번 한파는 '북극의 기온이 상승하면서 북극 진동이 약해진 원인'이라고 하는데 기상청의 한 관계자는 "이번 한파를 기후 변화의 결과라고 단정할 순 없지만 장기간 추세에 비추어 기상 변화의 양상으로 볼 수 있다."고 말했다고 한다.

2010년 한 해 남반구에서는 대지진 북반구에서는 화산폭발과 혹한에 시달린 것 같다. 2011년이 시작됐다. 이상기온은 릴레이가 되고 있다. 일본에서는 세밑부터 이어진 폭설이 며칠 사이 2미터가 넘게 내린 지역도 있다고 한다. 우리나라도 예외는 아니다. 뚜렷했던 삼한사온은 온데간데없고 잦은 눈이 내리기 일쑤다. 96년 만에 한파가 몰아친 부산은 대형 수도관이 동파되기도 했다고 한다.

환경에 따라 진화한다는 말이 있다. '소빙하기' 도래설도 있고 '온난화' 도래설도 있다. 소빙하기가 됐건 온난화가 됐건 자연 앞에 무력한 우리는 "지난 일은 알 수 있지만 아직 오지 않은 일은 옻칠처럼 어둡고 막막하다."(명심보감 성심편)고 했듯 한 치 앞도 내다보기 힘든 미래에 대처방안을 부단히 찾고 부단히 노력하는 게 최선의 방도일 것 같다.

로마의 전략가 베게티우스는 "평화를 원하면 전쟁을 준비하라."고 했다고 한다. 요즘 '국민연금' 임의 가입자가 부쩍 늘고 있다고 한다. 국민연금을 말해보자. 총성 없는 전쟁에 대비하는 것 같아서다.

국민연금은 10인 이상 사업장을 대상으로 1988년에 등장했다. 서울 올림픽이 열린 해이기도 하다. 1999년에는 전 국민 국민연금 시대가 열렸다. 시행 초기에는 세금 아닌 징수가 아닌가 하는 의구심이 있었고 중간에는 국민연금 기금 고갈로 부도가 나는 게 아닌가 하는 우려도 많았지만 2007년 '더 내고 덜 받는' 국민연금법 개정에 따라 우려는 거의 불식됐다. 그런데 말이다 요컨대 임의 가입자가 강남의 송파, 서초, 양천구, 목동 등이 늘었다는데 눈여겨볼 필요성을 느낀다.

송파, 서초, 목동 등은 대한민국에서 '부자 동네'로 대변되는 곳이다. 돌다리도 두드리고 건너는 격이라고 할까. 만사불여튼튼이라고 불확실성에 대한 미래의 안전을 담보하는 안전 장치에 자물통을 잠그는 것 같아 많은 것을 생각하게 한다는 것이다. 미국의 프랜시스 스콧 피츠제럴드가 쓴 『위대한 개츠비』에 나온다는 말이 생각난다. "부자들은 우리와 다르다." (이 소설은 1920년대 미국의 황금기를 모티프한 책이라고 한다.)

국민연금 임의 가입자 증가 현상은 부자들에게 '별도의 노후준비가 필요 없다.'는 항간의 말을 의심케 하고 뒤집는 것이다!

국민연금이라는 것은 노후에 소득보장을 위해 정부에서 실시하는 사회보장보험제도이다. 50세부터 연금을 지급받는다.

사람에게는 '타인에 의한 반응'이 있다고 하는데 신생아들의 타인에 의한 반응을 관찰했다고 한다. '신생아성 반응 울음'이라고 하는 즉 한 아이가 울기 시작하면 다른 아이들이 어떻게 반응하는가를 말이다.

EBS '인간의 두 얼굴' 제목의 방송을 봤다. 신생아들이 잠자고 있던 신생아실에서 한 아이가 울기 시작했다. 이어 하나둘 따라 울더니 모두의 아이들이 울기 시작했다.

모두가 울 때는 꼭 봄에 연못에서 "개굴개굴" 울어대는 뭇 개구리의 합창 같았다. 다만 개구리들은 하나의 화음을 이루는 데 반해 신생아들의 울음은 불협화음이었던 같다.

한 아이가 울기 시작하면 줄곧 따라 운다는 것을 발견한 실험팀은 가장 많이 운 아이의 울음소리를 녹음한 뒤 그 아이가 잘 때 녹음한 울음소리를 듣게 했는데 아무런 반응이 없었다. 녹음한 울음소리에는 따라 울지 않았다는 것이다.

이번에는 모든 신생아들이 들을 수 있도록 잠자고 있는 신생아실에 녹음한 울음소리를 들려주었다. 마찬가지로 녹음한 울음소리에 따라 우는 아이는 단 한명도 없었다.

세계적인 성악가가 직접 서는 무대 또 세계적인 운동선수들이 하는 경기를 직접 보는 것은 많은 감동을 주지만 직접 관람 못지않은 미디어 속에 살고 있다. 오디오와 달리 '타인에 의한 본능' 효과가 클 것 같다는 것이다. 미디어는 타인에 의한 본능 롤모델의 구성요소가 충분할 거라는 것이다. 신생아들이 따라 우는 것처럼 말이다.

한 아이가 울 때 따라 우는 타인에 의한 본능을 모방이라고 할 수 있을 것이다. 우리는 어쩜 모방 속에 사는 건지 모르겠다.

요즘 학교 교육이 수능 위주로 획일화돼 있어 문제가 된다고들 분분한데 인문학의 중요성이 강조되고 있다. 인류 문화의 역사 말이다!

고리타분하고 추진적이고 한물갔다고 할지 모르지만 인문학 서적(논어, 맹자, 명심보감 등)들은 수천 년 동안 내려오면서 인류에게 정치, 경제, 사회 규범 등을 가르치고 있다. 앞에서도 말한 바 있다.

선진국일수록 인문학의 중요성을 강조한다고 한다. 우리 집에서도 논어, 맹자, 명심보감 등이 있다. 지나가듯이 슬쩍이라도 읽는다면 필연코 도움이 될 것이다. 모방을 하라는 것이다.

요즘 서울시에서 인문학 강좌를 열고 있다고 한다. 네가 인터넷에 들어가 수강 신청을 해서 수료했으면 참 좋겠다. 매체를 보니 서울시의 인문학 강좌를 수료한 사람들의 삶의 방식이 확연히 바뀌었다고 한다. 낙관적으로, 적극적으로 말이다.

예술은 예술만이 아니라 우리의 삶도 예술이라고 해야 할 텐데 오스카 와일드는 "예술은 모방이 끝나는 곳에서 시작한다."고 말했다고 한다. 영국의 역사학자 E. H. 카는 저서 『역사란 무엇인가』에서 "역사는 과거와 현재의 끊임없는 대화"라고 했다는데 인문학 서적이야말로 신구조화의 메커니즘이라고 본다.

어제 나는 벽에 액자 하나를 걸었다. 네가 사진 공모전에 출품해 당선작도 아닌 낙선한 작품이다. 사진에 문외한인 네가 당선작에 뽑힌다는 건 애초 무모한 것이고 심사진의 조롱거리고 웃음거리였는지 모르겠다.

그러나 '도전한다'는 용기에 자부한다. "나를 만든 것은 하버드가 아니라 마을에 있는 도서관"이라고 말한 빌 게이츠가 불현듯 생각이 나는데, 안중근 의사가 여순감옥에서 쓴 一日不讀書 口中生荊棘(일일부독서 구중생형극)을 모티브 했다. 우측에 一日不讀을 내려썼고 그 아래 책 한 권을 펴 놓았다. '書'를 책으로 대신한 것이다.

좌측에는 인형을 세워놓고 사진을 찍은 작품인데 인형의 입에 가시를 붙혀 '하루라도 책을 읽지 않으면 입안에 가시가 돋는다'는 것을 구성했다.

인형을 무단 도용한 것 같아 지적재산권을 침해한 것 같아 양심적 가책이 든다. 아니 상표권 침해라고 해야 옳을지 모르겠다. 너주레하게 잔말하면 지적재산권 침해라고 하자니 상품을 생산 판매한 것도 아니고 또 저작권법 침해라고 하자니 소설이나 시, 논문, 문학, 음악, 무용, 연극, 사진 등의 저작물을 보호하는 것이므로 상표권 침해에 더 근접할 것 같다는 것이다.

나는 디지털카메라로 찍은 사진을 돌려보았다. 에디슨이 만든 영화의 효시 키네도스코프로 보듯 파인더(LCD)로 돌려보면서 순간 웃음이 터져 나왔다. 지금도 걸어놓은 사진을 보면 그렇지만 말이다.

작품이라는 것이 고작 서예도 아니고 그림도 아니고 사진이 사진 같지 않고 코믹성만 다분한 것 같았다.

안중근 의사의 유작인 일일부독서 구중생형극의 휘호글은 천고일월명(天高日月明)으로 시작되는 추구(推句)에 나오기도 하는데 본디 논어(論語)에 나오는 글이라고 한다.

안중근 의사는 사형을 당하기 직전 간수에게 '5분의 시간을 달라.'고 해 얻은 5분 동안 책을 읽고 사형을 당했다고 한다. 마지막 5분을 책 읽는 데 소비하고 떠난 안중근 의사는 대한민국 국민에게 "책을 많이 읽어야 세계를 지배한다."고 몸소 실천한 행동의 유언같다.

네덜란드의 요한 하위징아는 '노동'과 '놀이'의 통찰로 유명하다고 한다. 예컨대 "공부해라", "놀아라"는 식은 명령이라는 것이다. 다시 말하면 놀이도 명령하는 식으로 하면 노동으로 변질되므로 자유가 전제되게 해야 한다는 것이다.

내가 한 너희들에 훈육방식이 '방목'이었다. 하위징아의 통찰과 맥락을 같이 하는지 모르겠다. 자그만치라도 말이다. 하지만 하위징아는 명령은 노동이라는 것인데 반해 나의 방목성은 기죽이지 않으려 했다는 게 상당 부분 상이한 것 같다.

기죽이지 않으려 한 것은 내가 자랄 때 기죽어 컸던 데서 기인한 발로 같기도 하다. 그런데 아직 모르긴 하지만 지금까지는 실패인 것 같다(너희들 교육). 먼저 말하는데 추호도 책임을 회피하는 것은 아니다. 결단코 내게 전혀 책임이 없는 것은 아니니 말이다. 때로 방임적 자세도 그렇다.

그러나 너희들의 방목의 책무성에 문제가 있었다고 본다. 방목이라는 것은 방종을 의미하는 것이 아닐 테니 말이다. 대관령 젖소들의 방목에도 데드라인이 있는 법이다. (삼양라면 목장)

일부 학교는 신청한 '자율학교'를 반납하기도 했지만 요즘 교육계의 자율학교 변화가 무성해보인다.

방목과 자율을 생각하게 하는데 자율이라는 것은 자기 스스로의 자율성을 키우는 것이고 '전정감각'을 키우는 것이라고 할 수 있을 것이다.

나무를 잘 자라게 하는 데는 전정이 필요한데, 우리 귀의 달팽이관에는 전정기관이 있다고 한다. 우리 몸은 전정감각을 유지하지 않으면 멀미 등이 발생한다고 하는데 생각건대 물리적 요소 같다. 전정감각이 신체적 평형을 유지하는 요소라면 심리(心理)적 평형을 돕는 요소도 있는 것 같다. 전두엽에 관한 책도 있고 전문가들의 말을 들으면 그렇다는 것이다. 전두엽을 지칭한다. 전정감각이 평형을 잃으면 멀미 등이 발생하는 것처럼 머리 맨 앞쪽에 있는 전두엽의 평형은 자신을 바로 서게 하는 것 같다. 그러므로 전두엽의 연결회로가 활성화되고 평형을 유지하기 위해 도파민 생성에 노력하면 참 좋겠다. 태양이 8분 전에 발사한 햇빛을 받는 일, 운동을 하는 일 등이 도파민을 발생시킨다고 하는데, 윤활제가 되거나 전정과 같을 것 같다. 그리고 말이다. 잔소리가 될까 봐! 삼가 어쩌다 말하곤 하는데 그건 전정과도 같을 것이다. 너희를 바로 서게 말이다.

나무는 인위적이 아니어도 잘 자랄 수 있는 능력이 있다. 가지 하나 겹쳐지지 않고 잎도 매한가지로 중첩적이지 않는데 전정하면 열매도 잘 맺고 더 좋은 나무가 될 수 있는 것처럼 어른의 말을 들어야 하는 것은 전정과 마찬가지일 것이다.

그런데 말이다. 하릴없는 듯 자꾸자꾸 방임적으로 돼 가는 것 같다. 말을 한들 '백약이 무효'이니 버겁다는 것이다.

미국의 성공한 한 농부의 말이 생각이 난다. '미운 자식', '말 안 듣는 자식'이 있느냐는 질문에 "말 새끼와 바꾸고 싶은 적이 있다." 고 말했다고 한다.

우리 식구, 우리 가정 같은 집이 또 있을까 싶다. 시대가 개인미디어적으로 휴대폰 개인 컴퓨터 등 또 각자 차지하고 있는 방 등 구조적 문제도 수반되기도 하지만 원플레이고 마이웨이인 것 같다. 다시 말하면 합심하고 협력해야 할 경기를 홀로 한다는 것이다.

빛이 강하면 그림자도 짙은 법. 어쩜 기대가 크면 실망도 크다고 아니 부모로서 과욕였는지 모르겠지만 아니 너희들의 '멋대로'에 나는 할 말을 잊는다.

1889년 영국에서 태어난 역사가 아널드 토인비에게 한 기자가 "만약 지구가 멸망해서 다른 별로 이주할 때 오직 한 가지를 가져간다면 선생님은 무엇을 가져가겠습니까?"라는 질문에 "한국의 가족제도를 가져가겠습니다."라고 했다는데 지금의 '핵가족'화에 묻혀 사장된 우리나라의 대가족제의 아름다움이 묻어난다.

최근 '여성가족부'가 한 가족체계에 대해 조사에서 10명 중 5명이 조부모를 식구로 생각하지 않는데서 보여주듯 핵가족화의 병리적인 현상에 드러난 한 편린으로 보여진다.

반세기 전 농경사회만 해도 할아버지, 할머니는 한 가정의 수장이었는데 격세감을 절로 느낀다. 요컨대 노쇠한 조부모지만 조부모의 말을 존중하고 따랐다는 데 있다.

국가도 그렇거니와 한 가정도 영이 서지 않으면 문제가 생기는 법이다.

백화점이었다. 딸아이가 어머니와 손을 꼭 잡고 다니면서 오순도순 쇼핑하는데 참말이지 굉장히 아름다웠다.

내가 보기에도 모녀지간이라고 하기보다는 의좋은 자매라고 해야 딱 들어맞는다고 해야 할 것 같았다.

백화점에는 추석 대목을 앞둔 터라 그야말로 사람들이 붐비고 있었다. 보는 눈은 비슷하다고 네 모녀에 시선이 집중된 것 같았다. 모녀지간 같은데 저렇게 다정다감할 수 있을까! 하고 말이다. 부럽고 부러운 듯 말이다. 하지만 이건 현실이 아니었다. 꿈을 꾸다 잠에서 일어났다.

며칠 전 내가 안과에 입원해 있을 때였다. 내가 입원한 병실에 함께 입원해 있던 환자의 딸이 왔었다. 대학생이었다. 그는 아버지와 도란도란, 다정다감히 말을 주고받았다.

처음에는 무의식적으로 듣곤 했지만 곧 귀를 쫑긋 세워 관심적으로 들었다. 어찌나 명랑한 그 여학생의 모습을 내 곁에 있던 네 어머니가 보고 "아버지에게 말을 잘한다."고 말했다. 네 어머니는 부러운 기색이 역력해 보였다. 솔직히 나도 부럽기는 매한가지였고 숨죽여 듣고 있는 터였지만 말이다.

네 어머니가 저 학생은 아버지와 말을 잘한다고 했을 때 나는 부녀 관계를 떠나 네 어머니와 너의 모녀 관계를 먼저 생각했었다. 네 어머니도 말은 그렇게 했지만 내 생각과 같을 거라는 생각이 들었다. 그래서 네 어머니에 나는 "다른 집 딸들은 어머니와 손잡고 백화점, 시장도 가고 말도 잘하던데…."라고 말했다. 예컨대 '남의 떡이 커 보인다.'는 '초점 오류'가 있다고는 하지만 절대 풍선 부풀리듯 침소봉대가 아니라는 것을 네가 먼저 익히 알 것이다.

쌍무적이긴 하지만 자식은 어른(부모)의 말을 따라 주어야 할 책무가 있다고 했는데 이기적이 아니라 부모와 자식 간에는 선제적으로 자식들이 잘 따라줘야 원만한 관계 설정이 된다고 본다는 것이다.

이 세상의 많은 부모와의 자식 관계에는 원만하지 못해 소원해지는 경우가 더러 있을 것이라고 생각하면서 자식교육의 무한한 한계를 절로 느끼면서 그 유명한 간디도 자녀교육만큼은 한계가 있었을 것이라는 게 다시 떠오른다.

불가의 옷깃 인연이라는 게 있다. 옷깃만 스쳐도 인연이라고 하는데 부모와 자식 간의 만남은 전생에 수천 번의 옷깃을 스쳐야 부모와 자식 관계가 된다는 것이다.

아주 특별한 인연 아니냐! 특별한 인연을 정말이지 공고히 다졌으면 참 좋겠다. 전생에 수천 번을 만나고 나서 부모 자식으로 만났다는 것은 이미 그때 아름다운 관계가 되도록 약조를 했다고 볼 수도 있겠다.

'약속은 지키기 위해 있는 것'이라는 말이 있는데 수천 년 수만 년 전의 약속일지 모를 특별하고 끽긴한 약속을 아름답게 꾸려갔으면 한다. 한 땀 한 땀 오색실로 아름다운 비단 수를 놓듯 말이다. 늦었으면 늦은 대로 지금부터라도 말이다.

모르면 모르되 옷깃 인연은 부부간으로 만나는 것과 형제, 남매, 자매로 만나는 것도 특별한 인연임에는 마찬가지일 것 같다. 특히 형제 남매간의 돈독한 관계를 꾀해 견실한 결실을 맺게 하는 노력이 절실해 보인다.

우리집에는 거실에 TV가 없다. 딸인 똥개주인 방에만 TV가 있어 개인이 사용하므로 나는 우리집에는 'TV가 없다'고 말한다.

'바보상자'라고 하는 TV는 한창 공부해야 할 때는 절대적으로 무용하다고 생각했었다. 무용한 것은 약과이고 해악적이라고 간주하기도 했다. 때문에 거실에 떡 버티고 있던 TV를 중간에 치웠던 것이다.

그러나 반추해 보면 거실에 TV가 있었으면 식구가 한곳에 모이는 응집성을 갖는 효과는 있었겠다 싶다. 토론이 있는 아고라 광장처럼 돼 지금처럼 단절이 아닌 커뮤니케이션화할지 모른다는 생각이 든다는 것이다.

가족이 밥상머리마다 둘러앉듯 텔레비전 앞에는 가족이 모인다는 한 시인의 시가 불현듯 생각나기도 하다.

또 TV는 옛날 같기도 할 법한 아랫목 역할도 할 텐데 말이다. 요즘은 대개 보일러 형식이니 아랫목 윗목 개념이 무색한데 아니 요즘은 쇼파가 아랫목이라고 해야 될 것 같은 생각이 든다.

구돌식의 온돌방에서는 아랫목이 상석이고 아랫목은 아고라 광장 같았다. 아랫목은 아궁이에서 가까워 따뜻한데, 그 따뜻함을 좇아 아랫목을 위주로 좌정해 이야기를 주고받을 수 있다는 것이다.

인간이 유례없이 협동적으로 진화했는가에 논쟁이 무르익어 갑론을박이라는데 그중 하나 "집단과 집단 간의 투쟁이 자기가 속한 사람들에 대해 선의와 맞물려 진화했다."는 말이 있다.

이처럼 인간은 지구에 있는 130만 종의 동물 중에서 좀처럼 찾아보기 힘들 만큼 유일무이하게 협동력이 강한 동물이라고 한다. 2만 년 전의 현세 인류 조상 때부터 이어 내려왔을 법한 협력적 자세를 구가해야 할 것만 같다.

논지에서 다소 엇나가는 것 같다만 요즘 '로봇청소기' 판매가 부쩍 늘고 있다는데 가정에서 협동적 범주라고 본다. 분주한 세상 속에 '로봇청소기'가 가사 분담을 가세해 협력한다는 것이다.

우리나라가 생각이 난다. 우리나라는 남북으로 갈라져 있다.

우리의 대한민국은 남북으로 갈라진 것도 부족한 듯 선거 때만 되면 동서로 분열되는 현상이 농후하기도 하다.

어느 나라이고 좌우파가 있긴 할테지만 남북으로 갈라진 우리는 국내외적으로도 좌우대립이 날센 각을 세우는 것 같다.

언론에는 이따금 식자들의 글이 있다. 대립각을 세우는 글 말이다. 우리는 이념성을 떼버리고 읽었으면 좋겠다. 우리는 이 위치에 있지도 않다. 우리는 우리가 어떻게 살아가야 하는가가 급선무니 말이다.

그래서 우리는 식자들의 논박에서 우리가 살아가야 할 해법만을 구가하자.

우파가 장기 집권할 때 "새는 좌우 날개가 있어야 날 수 있다."는 한 논객의 글을 읽었다. '새는 날개가 아닌 머리로 난다'는 제목의 글이 있었다. 이 논객은 "새는 좌우의 날개로 난다."는 논객의 글을 말하면서 "새는 머리가 지휘한다. 뇌가 분열되어 있는 새가 어떻게 제대로 움직일 수 있겠는가."라고 썼다.

"사람이 날개가 없는 것은 머리로 날 수 있기 때문"이라는 말이 있다. "건강한 신체에 건전한 정신이 깃든다."고 존 로크가 설파한 말이 생각이 난다.

뭐니 뭐니 해도 우선적으로 건강이 전제돼야 할 것 같다. 건강에는 운동보다 더 좋은 게 없다고 한다. 특히나 평소 허리가 안 좋은 듯한 큰아이 너는 많은 시간을 컴퓨터 앞에 앉아 있다 보니 허리가 문제가 되는 것 같다.

지금의 네 허리가 고착화할 수 있다. 디스크로 발전할 수도 있고 더 큰 문제로 야기될 수 있다는 것이다. 걷고 뛰고, 운동을 해야 할 것 같다. 건강은 건강할 때 지켜야 한다는 말이 있다.

화재도 초기에 진압해야 피해를 최소화할 수 있다. '약시우강(若時雨降)'이라는 말이 있다. 때를 맞추어 제때에 내리는 비는 반가운 것이지만 우기에 내리는 비는 지겨울 뿐이다. 때가 중요하다는 것이다. 특히 건강에 관련한 문제를 초기에 하찮게 간과해 큰 문제로 야기된다고 본다. 기회를 놓치면 소 잃고 외양간 고치는 격이 된다는 것이다.

자가진단은 문제가 되는 것 같다. 내가 그랬다. 후회가 된다. 하지만 '후회는 아무리 빨라도 후회'라고 후회가 될 뿐이다. 두 차례 수술 받았던 눈 치료 이야기다.

한쪽 눈이 충혈될 때마다 나는 의사의 처방전 없이도 구할 수 있는 점안액을 약국에서 구입해 점안하곤 했다. 문제는 점안할 때마다 충혈이 제거돼 만병 통치약으로 간주하고 지속적으로 사용한 것이 문제가 됐다는 것이다.

그러나 어느 때부턴가 사용하던 점안액이 충혈제거에 아무런 효과가 없었다. 그제야 안과에 갔었다.

평소 시력이 좋았던 나는 눈에 자신이 있었다. 첫 번째 수술 당시 이미 한쪽 눈의 시신경이 '30%' 손상된 이후 또다시 수술을 받고 보니 많은 것을 생각하게 한다. 수술받은 눈의 시신경이 더 많이 손상된 것 같아서다.

보는 것에 다소 문제가 있는 나는 별의별 생각으로 무채색만 볼 수 있다는 태어날 당시를 생각해 본다. 황우석 박사도 생각이 났다. 줄기세포로 시신경 등을 복원할 수 있는 의학 발전이 개발됐으면 좋겠다는 생각에서였다.

젊음이 그대로 머물러 있으면 좋으련만 사람이 나이들고 병들면 늙기 마련이다. 서른 살이 넘으면 이미 뇌세포 감소가 진행되고 뇌세포 감소는 기억력이 떨어지는 원인이 된다고 한다.

내가 얼마 전 암기한 것이 반추된다. 역리학에 관한 것을 자모듬해 120여 자를 외우는데 되돌아서면 까먹고를 거듭해 두 달이 걸렸다.

'20대 늙은이가 있는가 하면 60대 청년이 있다.'는 말이 있다. 생리적인 노화야 하릴없을 터이지만 노화진행을 억제하는 노력을 해 건강하게 사는 것이 행복하게 사는 것이라고 본다.

'건강을 잃으면 모든 것을 잃는 것'이라는 말이 있다. 환경오염에다 서구화된 식생활 변화로 성인병이 만연하는 시대, 운동을 게을리하지 말자.

"만약 우리가 새로운 아이디어를 찾고 있다면 청년이지만 과거의 전통과 방법에만 의지하고 있다면 노인이다."(시드니 그린버그)

'이 세상에서 가장 비싼 금이 지금'이라는 말이 있는데 도스토옙스키는 "오늘 걷지 않으면 내일은 뛰어야 한다."고 말했단다. 지금 이 시간이 가장 중요하다는 것이다.

순간적으로 지나가버리는 지금이 과거를 만들고 미래까지도 매

듭지어가며 결정체를 만들 것이다. 지금이 과거를 위한 '예금통장'일 것이다.

비록 과거를 그르쳤다 해도 지금에 따라 얼마든지 만회할 수 있고 재기할 수 있을 것이다. 몇 번의 다운에 불구하고 일어나 승리하는 권투 선수처럼 말이다. 권투 선수 홍수환은 4전 5기로 유명하다. 인생이 권투와 별반 차이가 없을 것이다.

그러나 하루아침에 그걸 바라는 건 연목구어일 것이다. 세계적 피겨 선수 김연아와 3년 동안 사제지간으로 함께한 오서 코치는 "김연아의 재능을 하늘의 축복이라고 생각하는 사람이 있다면 김연아가 연습하는 과정을 딱 사흘만 지켜보라고 말해주고 싶다."며 "한 번의 비상을 위해 천 번 점프를 하는 지독한 연습벌레"라고 말했다고 한다.

인생이라는 것은 야로비 농법이 아닐 것이다. 식물이야 속성시킬 수 있지만 인생은 갈고 닦는 숙련 시간이 필요하다는 것이다. 출구 전략을 계획해야 할 것이다. 지금의 상황을 탈피하는데 최소한의 피해가 나도록 말이다.

네게 지금 혹여 에포케(판단을 중지하는 일) 작동이 원활하지 못한 건지 모르겠다. 또 게임에 의한 도파민 수용체 기능이 정지돼 있는 건지도 모르겠다. 도파민이라는 것은 승리할 때 뇌에서 분비되는 물질이라고 하는데 "내가 승리할 것이다" 등의 긍정적 생각, 목표의식만으로도 도파민이 증가한다고 한다. 지금의 도파민 증가가 미래의 '보장성 보험'일 것 같은 생각이 든다.

"인간은 에너지를 많이 쓸수록 더 많은 에너지를 생산할 수 있다."

(매사추세츠 공과대학교(MIT) 교수 피터 후버)는 것처럼 도파민을 더 많이 증가를 위해서 도전과 희망, 목표 등의 카타르시스가 중요할 것이다.

'1만 시간의 법칙'이 있다. 어떤 일에 성공하기 위해서는 일정 시간이 필요하다는 것이다.

무쇠나 원석을 갈고 닦아야 연장이 되고 보석이 되듯 말이다. 『생각의 탄생』이라는 책을 쓴 로버트, 미셸 루트번타인 부부는 "전문화가 가속하면서 지식이 파편화하고 있다."고 했다는데 1만 시간의 법칙이 지식을 파편화시키는 것 같다. 1만 시간의 법칙은 어리석을지라도 끝까지 꾸준히 노력하면 아무리 큰일이라도 할 수 있다는데 비유하는 우공이산(愚公移山)과 맥락을 같이하는 것 같다.

일본의 오청원을 바둑의 전설적인 인물이라고 한다. 그는 "묘수를 세 번 내면 진다."고 말했다고 한다. 바둑을 '인생의 축소판'이라고도 말하는데 평범한데 진리 있다고 평범한 수가 승리로 이끈다는 말일 것이다.

요즘 성적이 다소 부진하긴 한데 우리나라의 '바둑천재' 이창호 국수의 바둑이 매 한수 한수가 100점짜리 아닌 8~90점짜리 바둑이라는 말이 있는데 우보적인 그의 바둑이 많은 것을 생각하게 한다.

회광반조라는 말이 있다. 촛불이 꺼질 때면 불꽃을 튀겨 밝게 한다는 것인데 회광반조의 불꽃을 살려내보자, 미국의 프랭클린 루스벨트 대통령의 말처럼 말이다. 루스벨트 대통령은 1933년 금융불황이 불거질 때 "우리가 두려워해야 할 유일한 것은 두려움 자체"라며, '은행 일시 휴업'을 명령해 위기를 극복해 불황을 불꽃처럼 살려냈다고 한다.

이해하기가 난해할 것 같은 불씨라는 말이 있다. 또 요즘 세대가 뭔지 잘모를 보릿고개와 난해하기가 오십보 백보일지 모르겠다.

불씨라는 것은 아궁이 불이나 화롯불을 꺼뜨리지 않고 오늘 내일 계속 이어가는 것을 말하는 것이다. 불씨는 성냥, 라이터, 가스렌지 등이 발달되기 전 밥을 짓는 등 취사를 위한 한 방편의 수단이었던 것 같기도 하다.

물론 전통적 우리의 민족신앙으로 간주되기도 한다. 1년에 한 차례 새로운 불로 교체하는 '불의식'을 갖기도 했고, 불씨를 꺼뜨리지 않고 잘 간수해야 복을 받는데 가계 계승과 발전을 기렸다고 한다.

불씨를 책임있게 간수했던 사람은 여성들 몫이었는데 강조하면 며느리였던 것 같다. 만약 불씨를 꺼뜨리는 날이면 혼났다고 한다. 불씨를 신주 모시듯 중요시했던 것 같고 꺼뜨리는 것을 경악시 했던 것 같다.

내가 어렸을 때만 해도 불씨의 명맥이 이어진 것 같다. 당시는 성냥이 판을 쳤고 흔치는 않았지만 라이터도 있었지만 말이다.

하지만 성냥 등이 있었기에 절로 불씨에 등한시할 수밖에 없었지 않았나 싶다.

지금 생각건대 당시는 필요에 따라 절대적이었지만 지금의 관점에서는 시니시즘 같기도 하다. 조상들의 지혜이기도 한 불씨는 시대 따라 뒷전으로 밀려나 불씨 개념이 퇴색된 지 오래다.

한번은 이런 일이 있었다. 내가 어렸을 때 일이다. 며칠 동안 비가 내린 탓으로 습기받아 성냥이 켜지지 않았다.

다행히 아침에 화로에 묻어둔 숯불 덩어리가 낮 동안 시나브로 재로 탄화되고 밤톨만 한 작은 숯불 덩어리가 겨우 저녁까지 남아 있었다. 저녁밥을 지어야 할 때까지 말이다. 바로 꺼져버릴 것만 같았던 불씨를 내 어머니는 불고 불어 살려내 밥을 짓는 것을 본 적이 있다.

참말이지 꺼져가는 불씨를 살렸던 것이다. 풀무질하듯 "푸푸" 하고 불 때는 마치 숯등걸처럼 연기가 일고 있었지만 활활 불꽃이 살아날 때는 회광반조를 살려냈던 것 같다. 불의 기원이라고 할까 천체의 불을 훔쳐 인간에 선물한 프로메테우스가 생각난다. '제3의 불'이라고 하는 원자력을 생각할 수 있지만 지금도 일상적인 불은 마찰에 발생하는 부시로 부싯돌에 부딪치는 신석기시대 그대로인 것 같다.

보릿고개는 우리나라가 식량난을 겪은 굶주렸던 시대에 겨울을 나고 식량이 바닥나고 아직 보리가 여물지 않아 허기졌던 봄을 말한다.

내가 어렸을 적 일이다. 막 여문 햇보리를 구워 먹었던 일이다.

계절은 갈수만큼이나 허기졌던 갈수기가 가고 찾아온 봄. 또래들 몇 명이서 마른 솔가지 등을 마련해 불을 지피고 타오르는 불꽃에 한 움큼씩 보리 줄기를 움켜잡고 그을려 익게 했다.

뜨거운 불꽃에 새까맣게 그을린 이삭을 손바닥 한가운데 올려놓고 잘못을 빌 듯 비손하듯 손바닥을 비벼 이삭이 뭉겨지게 해 보리 알갱이를 분리시켰다.

알갱이는 싸고 있던 껍데기가 혼재돼 있어 입으로 "푸푸" 인위적 바람을 만들어 알갱이만 남게 해 입안에 훌훌 털어 넣었다.

누르스름하고 파릇한 구운 보리의 맛이 좋았던 것 같다. 구수하게 말이다. 한참을 먹다 보면 나도 모르는 사이 손바닥이 온통 검디검다 못해 반질반질하게 검정이가 껍질인지 껍데기인지 덧칠해져 있었다.

얼굴은 마치 분장을 한 함진아비 같았다. 입이며 얼굴이 우스꽝스러워 서로의 분장된 얼굴을 보며 깔깔대며 박장대소하기도 했다.

함진아비라는 것은 지금의 서양식 결혼에도 결혼식 하루 이틀 전 신부집에 가 함을 전달하기도 하는데 우리의 전통혼례 때 신랑 측에서 예단과 혼서지 등을 넣은 함(나무로 만든 상자)을 짊어지고 맨 앞에서 신랑이 탄 가마를 이끌고 신부집에 나타나는 사람을 말한다.

함진아비는 두 손 모아 나무로 조각된 기러기(원앙)를 안고 나타나는데 신부 측에서 반강제해 함진아비에 분장을 해놓는다.

함진아비는 묵허하기 일쑤였는데 관습적 관례였던 것 같다. 분장에는 숯검정이 주로 이용되는데 손에 숯검정을 묻힌 사람들이 슬쩍슬쩍 함진아비 얼굴을 문질러 묻게 했다. 잔치 분위기를 띄우기 위해 코믹성을 연출한 것 같다.

한국 민주화의 흐름

대한민국에 고스톱 선풍을 몰고 온 때가 있다. 80년대였다. 더 명확히는 전두환 정권 무렵부터였다! '싹쓸이'가 유행했었다. 이전에는 민화투, 육백 등이 고작이었다. 고스톱이 유행하기 전에는 민화투가 대중적이었고 육백이 고차원적이었지 않나 싶다.

아이러니한 요소도 있는 것 같다. 어찌 됐건 고스톱이 유행하면서 '민주화의 봄'과 함께 한국의 민주화도 발전하게 된 것 같다. 하지만 한국의 민주화 봄은 포르투갈에서 시작된 '카네이션 혁명'이었다. 필리핀의 마르코스 정권이 무너진 것도 마찬가지로 카네이션 혁명이었다.

카네이션 혁명에서 촉발됐던 세계적 민주화는 지금 진행 중인 '재스민 혁명'처럼 들불처럼 전져 스페인과 그리스, 필리핀과 한국 등을 넘나들어 지중해와 대서양과 태평양이 장애가 되지 않았다. 그로부터 십수 년이 걸렸지만 동유럽의 사회주의권과 구 소련도 카네이션 혁명에 무릎을 꿇었다. '카네이션 혁명'이란 포르투갈의 독재정권을 무릎 꿇게 한 청년 장교들의 총구에 시민들이 카네이션을 달아준 데서 이름이 붙여졌다고 한다. 그 년월일이 1974년 4월 25일이라고 한다.

한국의 민주화 승리 일은 1987년 6월 29일이다. 즉 '6.29 특별선언'이다. 6.29 특별선언은 코미디언들이 방송에서 풍자할 만큼 닉

네임이 있는 당시 민정당(민주정의당) 노태우 대표가 국민들의 민주화의 직선제의 개헌 요구를 수용해 발표한 특별 선언을 말한다. 닉네임이라 함은 "이 사람 믿어주세요"이다.

6.29 특별선언은 노태우 대표가 민정당 대통령 후보로 공식 지명된 지 19일째 되던 날 발표했다. 이날은 전두환 대통령이 일체의 개헌 요구를 금지하는 호헌조치를 발표한 지 77일째 되는 날이기도 하다. 전두환 대통령이 호헌조치를 발표한 날이 4월 13일이다.

이해 실시된 대통령선거에서 민정당 대표로 나선 노태우 후보가 거뜬히 당선됐다. 야권의 단일화 실패로 반사적 이익이 컸다. 야권의 단일화 실패는 갈망하던 민주화와는 배치됐고 기대를 저버렸다.

하지만 이듬해 4월 실시된 13대 총선에서 꾸준히 진행돼온 민주화 열기는 식지 않고 여소야대로 만들었다.

여소야대가 돼 정국 운영에 난항을 겪자 노태우 정권은 '대보수연합'을 꾀했다. 1990년 1월 22일 선언한 '3당 합당'이다 '3당 야합'이라고 비판적으로 말하기도 한다.

노태우 대통령 김영삼 통일민주당 총대 김종필 신민주공화당 총재가 3당 합당을 선언하는 모습은 신문에서 또 TV로 본 모습이 지금도 생생하다.

화면으로 중앙에 노태우 대통령 왼쪽에 김영삼 총재 오른쪽에 김종필 총재의 기념비적인 사진과 화면 말이다.

노태우 정권은 13대 국회에서 원내 의석 70석인 제1야당과의 합당을 모색했다. 평민당이다.

언론에 공개된 바로는 당시 노태우 대통령은 당시 평민당 김원기 원내 총무를 만나 '광주 사태'인 '5.18 문제해결에 관한 전권을 주겠다.'는 제의를 김대중 총재에 했다고 한다. 이를 김대중 총재가 거부하자 불발에 그친 노태우 대통령이 방향을 선회해 통일민주당과 신민주공화당에 비밀리에 합당을 제의해 내각제 밀약 조건으로 3당 합당이라는 거대 여당을 탄생시켰다. '구국의 결단'이라는 명분이었다.

3당 합당에 "정권 쿠데타", "민주 진영 분열과 불신을 초래시켰다.", "기회주의적 거대 보수연합이다."는 비판이 있었다.

21세기 들어 강산이 한번 변할 즈음 민주당에 정권을 넘겨주었지만 40년 넘도록 장기집권하던 일본의 자민당화라는 비판도 있었다.

철옹성 같았던 일본의 자민당은 때로는 연립정권을 구사해 이어가기도 했지만 반세기하고 수년을 더 집권하고 수년 전 정권을 민주당에 이양했다.

김영삼 총재 입장에서다. '호형호제'했지만 13대 대통령 후보로 단일화에 실패한 김영삼 총재는 김대중 총재와는 경쟁적 관계인 터라 3당 합당은 3당으로 전락한 김영삼 총재가 보다 높은 담보성을 추구한 것이다. 김영삼 총재의 예지는 맞아떨어졌다. 3당 합당으로 탄생한 민자당(민주자유당) 대통령 후보로 나서 당선됐기 때문이다. 그해가 1992년 12월이다.

반면 내각제가 지론인 김종필 총재는 내각제 개헌을 전제로 '3당 합당의 카르텔'에 동참했지만 내각제가 불발로 그치자 민자당과 결별했다.

또 김종필 총재는 1997년 대선을 앞두고 김대중 총재와 'DJP연합'을 만들었지만 내각제는 성사되지 않아 DJP연합은 그리 오래가지 않았다.

김대중 총재는 DJP연합으로 15대 대통령으로 당선됐지만, 김종필 총재와 약속한 내각제가 국민정서와는 상반돼 내각제 약속을 지키지 않았던 것이다. 이로 말미암아 두 사람의 관계가 소원해지게 된 것이다.

하지만 김종필 총재는 그의 평소 지론인 내각제가 실현이 안 됐지만 그는 내각제의 선각자이고 선구자임에는 누가 뭐래도 분명한 것 같다.

김종필 총재는 내각제의 수레를 우보하듯 끈 사람이다. 원조 공화당의 심벌마크인 소가 끌듯 말이다. 하지만 아이러니하다. 김종필 총재는 5.16정변의 주역이기 때문이다. 5.16의 이데아가 내각제와는 거리가 있다는 것이다.

5.16정변이 내각제 헌정을 파괴했다. 5.16정변은 1960년 4.19혁명으로 이룬 대가로 들어선 제2공화국(내각제)이 9개월이 됐을 때 일어났다.

4.19혁명이 발발한 그해 8월 23일 출범한 제2공화국은 1961년 5월 18일 내각 총사퇴를 위한 국무회의가 마지막이었다. 내각제의 장단점을 채 경험하기에도 한참 이른 때였다. 윤보선 대통령과 내

각 수반인 장면 총리의 정치적 견해 차이로 대립각이 돼 정국이 어수선했지만 말이다.

제2공화국이라 함은 추대된 윤보선 대통령과 장면 내각으로 구성된 내각제 헌정을 말한다. 제2공화국인 내각제 헌정은 이승만 정권인 '민주독재'와 박정희 정권의 '군사독재'에 끼여 단말마적 샌드위치가 되고 말았다.

1인당 GDP(국내 총 생산량)가 약 2만 달러라고 한다. 1999년 약 1만 달러에서 10년 사이 두 배로 증가한 것이다.

하지만 자영업자 소득은 외려 35%가 감소했다고 한다. 부익부 빈익빈현상이 갈수록 심화되고 있다는 것이다. 20대 80이라는 파레토법칙이 현실화돼 간다는 우려가 있다. 소수 지배의 법칙 말이다.

계층 간의 깊은 골도 문제이지만 지역 간의 갈등의 골은 더 큰 문제인 것 같다. 대통령선거의 직선제는 지역 간의 크고 작은 갈등을 양산해 냈다. 지역 분할의 골을 심화하는 직선제 폐해의 해법에 나부랭이 내 소견으로는 내각제가 평명할 것 같다.

기후변화와
함께하는 우리 산들

우리나라는 강과 산이 아름답다. 예로부터 비단에 수놓은 것 같다고 해 금수강산이라고 한다.

금수강산을 가진 우리나라의 산이 70%였다. 국토 면적의 70%라는 것이다. 국토 면적의 70%였던 산이 지금은 65%라고 한다.

개발이 돼 산이 줄어들었다는 이야기다. 대한민국 산들이 이곳저곳 많이 개발됐다는 이야기가 되겠다.

열대우림이 지구 면적의 2%에 불과하지만 그 안에 모든 생물의 절반이 존재한다고 하는데 우리나라의 산림이 비록 열대우림은 아니지만 산림 파괴가 비잠주복(飛潛走伏)에 미치는 영향이 클 것 같다.

서울에 있는 우면산도 개발이 된 모양이다. 우면산의 일부는 소나무 등을 캐내고 잣나무를 심었다고 한다.

말을 돌려보면 우리나라는 강과 산이 아름다울 뿐만 아니라 갈수기, 장마철은 있어도 강수가 내려야 할 적재적시에 적당량만 내리는 나라라고 하면 어불성설일지 모르겠지만 기후 조건이 좋은 나라였다. 맑은 날이 많았었다.

하지만 지구적 기후변화로 우리나라 날씨도 변화한다고 한다. 온대지방에서 아열대지방으로 진행한다고 한다.

50년 후면 바나나, 파인애플 등 열대과일들이 지천에 널려 있을 것이라는 말도 있다. 반면 소나무 등은 자취를 감출 것이라는 경종이 있다.

연례 행사처럼 있는 장마를 말해보자. 여름에 시작되는 장마가 20일 안팎이면 끝나는 게 일쑤였다. 더 길게 지속될 때도 있었지만 말이다.

이랬던 것이 '장마가 끝났다'는 예보가 무색하게 전반기 장마가 끝나면 후반기 장마가 다시 시작되기도 한 양 10여 일이고 얼마 동안 비가 쏟아져 지속되는 예가 몇 년인가 싶더니 매년 거듭되는 것 같다.

앞장마는 뒷장마에 쪽도 못 쓰는 것 같다. 참말이지 2011년 장마가 더욱 유난한 것 같다. 6월 7월 두 달 동안 대한민국 어디가 됐건 42일나 비가 왔고 그중 20일은 100밀리미터 이상 비가 내렸다고 한다. 6월 7월 즉 61일 중에 42일을 제외한 19일도 비만 안 왔을 뿐이지 대체로 흐렸던 것 같다. 맑았던 날이 며칠이 됐는지가 자못 궁금하다.

8월에도 비가 지속되고 있다. 2011년을 '비로 시작해 비로 끝날 것 같다.'고 회자되고 있다. 장마철 대신 우기철이라고 해야 한다는 말도 있다.

2011년 7월 하순 무렵이었다. '물폭탄'이 쏟아졌다. 460밀리미터라는 '물폭탄'이 이틀에 걸쳐 쏟아졌다. 반년에 내리는 강수량이라고 하고 104년 만에 내린 비라고 한다. 기후변화 때문이라고 한다.

이 폭우로 우면산에 '산사태 쓰나미'가 났다. 18명의 인명피해가 났다. '천재'니 '인재'니 논란이 뜨겁다.

'잣나무의 재앙이라고도 한다. '잣나무의 재앙'이라고 하는 것은 이틀 동안 460밀리미터가 내린 폭우가 직접적인 원인이지만 기존의 소나무 등을 뽑아내고 잣나무로 대체해 심은 게 문제였다는 것이다.

잣나무는 소나무처럼 침엽수이고 심근성 수종이지만 TR비율(TR비율이라는 것은 땅 위로 나와 있는 몸통 등의 무게를 뿌리 부분의 무게로 나눈 값을 말하는 것이라고 한다.)이 소나무보다 높아 수해에 취약하다는 것이다.

소나무는 몸통보다는 땅속에 묻힌 뿌리가 더 튼튼해 산사태에 견뎌내는 힘이 강하다는 말이다.

실제 우면산 산사태 때 소나무는 거의가 온전한 반면 잣나무는 도미노가 된 듯 한결같이 넘어졌다고 한다.

소나무 뿌리는 약용으로 이용되는 느릅나무만큼이나 명성이 있다고 해야 할까 내 어릴 때 기억이 있다.

소나무 뿌리를 길게 떠 피질은 벗겨내고 질긴 뿌리 줄기를 얄따

랗게 다듬어 바가지나 두레 등이 깨져 쪼개지거나 금이 가 간극이 생기면 송곳으로 구멍을 내 꿰매거나 동이는 데 이용되기도 했다. 찢겨진 옷을 실로 꿰매듯 말이다. 송곳이 바늘이 되고 솔뿌리가 실이 된 셈이다.

생각나는 게 또 있다. 송죽지절. '소나무 같이 꿋꿋하고 대나무 같이 곧은 절개'라는 말이 있는데 내가 태어나 자랄 때 내 고향 내 집 옆에는 아름드리 소나무가 여러 그루 있었다.

그 소나무들이 송죽지절의 뜻하는 것처럼 씩씩하고 장군 같다고 생각했던 터였던 것 같다. 이순신 장군, 강감찬 장군, 을지문덕 장군 등처럼 말이다. 이들 장군 등이 서 있는 것 같았다는 것이다.

밤에 뒷간에 갈 적에 두말하면 잔소리로 무서운 생각이 들곤 했는데 그 소나무들을 생각하노라면 두려운 생각이 상당 부분 씻은 듯했었다. 관솔도 한몫을 톡톡히 한 것 같다.

즉 평소에 말이다. 소나무 보굿이 갑옷미늘 같다는 생각한 나는 서있는 아름드리 소나무들이 갑옷을 입고 서 있는 장군처럼 보였는데, 밤중에 뒷간(변소)에 갈 때면 수호신이 됐던 것 같다.

또한 밤중에 뒷간에 갈 때면 으레 불이 댕긴 관솔을 들고 가곤 했으니 관솔도 한몫했다는 것이다. 랜턴였던 것이다!

나무초리피리,
그 유효기간의 짧은 아름다움

수양버들, 오리나무, 은백양, 미루나무 등은 내가 나무초리피리를 만들었던 나무들이고 나무초리피리를 만드는 데 아주 적합한 나무들이다.

나는 나무초리피리를 만드는 장인이었다! 그것도 열 살 미만 때부터였던 것 같다.

나무초리피리는 봄, 여름, 가을, 겨울 사계절 중 아무 때나 만들지는 않았다. 봄철이 최적기다. 봄에는 나무가 물이 올라 꽈배기를 만들 때 비틀 듯 나무초리를 틀면 껍질이 잘 분리되는 계절이라는 말이다.

이 때문에 나는 메뚜기도 여름이 한철이라고 봄이면 때를 놓칠새라 유목적이었다. 원재료를 확보하기 위해 마치 유목민처럼 지천으로 다녔다는 말이다.

원재료가 있는 곳이 공장이었다. 원재료가 확보되면 곧바로 현지서 나무초리피리를 만들었기 때문이다. 생산라인은 단조로웠다. '낫 놓고 기역자도 모른다'는 그 유명한 농기구, 낫만 하나 있으면 충분했으니 하는 말이다.

나무초리피리를 만드는 계절이 봄이 성수기라는 제약은 있지만 생산라인이 단순하듯 만드는 방법도 단순하다.

만드는 과정과 방법을 적는다. 물 찬 제비처럼 매끈한 나무초리를 골라 꺾는다. 꺾은 나무초리를 두 손으로 잡고 비틀기 알맞게 자른다. 알맞게 자른 나무초리를 두 손으로(양쪽) 바로 잡고 비틀면 돈다.

돈다는 것은 예를 들면 대롱에 꽉 맞는 나무를 넣고 돌리면 빽빽히 도는 것처럼 도는 것을 말한다. 다시 말하면 한 살이 돼있던 나무초리의 나무껍질과 즉 피질(수피, 樹皮)과 목질이 분리된다는 말이다.

분리돼 도는 껍질(피질)을 손상되지 않게 목질을 빼내 분리시키면 껍질은 대롱이 된다. 빼낸 목질은 둥근 아이스케이크(하드, '비비빅') 속에 들어있는 손잡이처럼 하얀색의 둥근 막대가 된다. 즉 피질은 대롱이 되고 목질은 둥근 막대가 되는 것이다.

대롱이 된 피질을 적당한 크기(대롱의 굵기에 따라 적당한 크기는 달라진다) 약 7㎝가량 길이로 잘라 한쪽 끝을 앞니로 물고 지근지근대 끝이 납작하게 포개지도록 한다. 피리가 끝이 납작하게 돼 있어 물기 좋은 것처럼 말이다.

끝의 포개진 1㎝가량을 얇게 다듬으면 나무초리피리가 완성되는 것이다. 흑갈색이나 황갈색 등의 표피를 제거해 다듬으면 된다는 말이다.

이렇게 만든 나무초리피리는 오래가지 못한다는 게 그야말로 단점 중에 단점이었다. 나무초리피리로서 유효기간이랄까 사용할 수 있는 기간이 길지 않다. 수시간에 불과했다. 성능은 떨어졌지만 물속에 담가두면 며칠은 사용할 수 있었다. 지금 생각건대 오래돼 낡아 기능이 저하되고 내구성이 떨어지는 것도 유효기간이라고 할 것도 같지만 말이다. 악기답다고 할 수 있을 것 같은 악기로서 유효기간 있는 악기는 생물의 악기, 나무초리피리가 유일하지 않나 싶다.

어떻든 계절에 제약이 있는 악기지만 나무초리피리는 제법 악기로서 손색이 없다. 하지만 요즘은 전수자도 연주자도 없는 시대인 것 같다. 물오른 봄의 오케스트라 향연을 연주할 수 있는 살아 숨쉬는 악기인데 말이다.

요즘 '힐링 힐링' 하는데 힐링의 악기일 듯하다. 물 흐르는 계곡에서 나무초리피리를 만들어 보는 것이 참말로 도랑 치고 가재 잡는 일일 듯싶다.

펭귄,
진화의 갈림길에서

잘 걷지도 못하고 아예 날지 못하는 새가 있다. 펭귄이다. 펭귄은 날갯짓하며 하늘을 날지 못하지만 물속에서 날갯짓하며 헤엄치는 새다. 물속을 나는 새라고 하면 될 것 같다.

펭귄은 뒤뚱뒤뚱 걷는 모습이 영락없이 사람과 비슷하다. 돌 지난 아이의 서툰 걸음걸이랄까 말이다. 사람들은 펭귄을 좋아한다! 펭귄 인형도 인기가 있다. 사람만이 직립한다고 하는데 아니다. 잘 걷든 잘 못 걷든 펭귄은 직립하는 새다.

'얻는 것이 있으면 잃는 것도 있다.'는 말이 있다. 이 말은 펭귄을 생각하게 한다. 펭귄이 바다를 헤엄쳐 나는 대신 날개가 퇴화돼 하늘에서 나는 것을 잃었다. 나는 '새 박사'도 아니고 그렇다고 과학자도 아니다. 그렇지만 생각해 보면 모든 것들이 유리한 쪽으로 진화하듯 펭귄도 교차로 같은 갈림길에서 보다 유리한 쪽을 발견해 물을 선택했을 거라는 것이다. 이를테면 학생들이 적성검사를 토대로 적성에 맞는 진로를 선택하는 것처럼이랄까 양자택일했을 거라는 말이다.

뉴로마케팅 전문가 A. K. 프라딥은 저서 『바잉브레인』이라는 책에서 "인간의 의식은 거짓말쟁이지만 뇌는 거짓말을 못 하고 솔직하게 무엇을 왜, 어떻게 살지 걱정하는 슈퍼갑"이라고 말했다고 하는데 펭귄도 무의식의 잠재적인 데서 진화의 길이 선택됐을 거라는 생각이 든다. 뉴로마케팅이라는 말은 '사람의 (행동)두뇌에서 발견되는 무의식적 반응과 마케팅을 결합한 말'이라고 한다.

사람은 날개가 없다. 당연히 날개가 없으니 날지도 못하고, 잘 달리지도 못하고 육식동물처럼 맹수적이지 못하다. 펭귄처럼 말이다. 특징되는 게 없다는 말이다. 행동적인 것, 즉 민첩성을 말하는 것이다. 다만 사람에게는 내면에 특징되는 게 있다. 두뇌이다. 두뇌는 누구나 가지고 있다. 두뇌가 좋은 사람, 두뇌가 떨어지는 사람이 있다. 머리가 좋고 나쁜 것은 중요하지는 않고 종이의 앞뒤 면에 불과하다고 생각한다.

적성에 맞는다는 것은 궁합이 맞는다는 말이다. 부부간에도 궁합이 맞아야 잘 산다. '놀이처럼 즐겁게 일을 하라.'는 말이 있다. 적성에 맞지 않고서는 즐거울 수는 없을 것이다. 나에 맞는 적성은 미래의 이정표라고 생각을 해본다.

태양력과 태음력, 그리고 우리의 삶

"안녕하십니까? 2013년 12월 31일 YKS 9시 저녁 뉴스입니다. 첫 번째 소식입니다. '중앙 관상대'의 발표에 의하면 '2025년의 설날(음력 1월 1일)'이 태양력으로 소서(小暑) 절기인 2024년 8월 31일에 들어있다는 소식입니다."

윤월이 없다고 가정하에 약 12년 후의 설날이 어느 달(태양력)에 들어있는가에 대한 가상의 뉴스가 있었다는 것을 생각해 봤다.

태음력에서 윤월은 100년 동안에 약 37번 들어있다. 평균 약 2년 8개월 13일 (약 968일)만에 든다.

태양력은 윤일이 있다. 2월이 보통 28일까지 있는데 29일까지일 때가 있다. 하루에 더 있는 이 29일이 윤일이다. 윤일은 4년 만에 든다. 하루가 지나갔다는 것은 공전이라고 하는 지구가 팽이 돌듯 한 바퀴 돌았다는 것을 의미한다.

지구가 365일 돌면 1년이라고 한다. 지구가 태양을 한 바퀴 돌아 제자리에 왔다는 말이다.

하지만 지구가 제자리에 가는 데는 5시간 48분 46초가 더 소요된다고 한다. 그래서 규정한 것이 4년에 한 번 드는 윤일이라고 한다.

만약 태양력에 윤일이 없다고 가정하면 모두에 가상의 뉴스에서 윤월이 없다고 가정했을 때 설날이 엉뚱하게 8월(태양력)에 들듯 약 620년 후면 태양력의 1월 1일이 윤일이 있는 지금의 태양력인 달력으로 입추(立秋) 절기인 8월에 든다.

1월 하면 가장 추운 계절의 엄동설한이다. 이 1월이 삼복더위에 드는 것이다. 다시 말하면 1월이 봄에도 들고 여름에도 들고 가을에도 들고 겨울에도 든다는 말이다.

태양력은 태양을 태음력은 달을 기준으로 해 만들었다. 사람들은 사람이 만든 태양력과 태음력을 아주 긴요하게 사용하고 있다. 단적인 예가 농업에는 태양력이 어업에는 태음력이 절대적이라고 할 수 있다.

태양력과 태음력은 사람이 규정한 것으로 일면 지켜야 할 규칙이고 법이라고 할 수 있을 것 같다는 생각을 해봤다. 이러한 규칙과 법을 우리는 나도 모르게 잘 지키고 잘 따르고 있다고 할 수 있을 것 같다.

우리가 살아가는 데는 규범이 있고 규칙이 있다. 태양력, 태음력이 우리에게 긴요하듯 정해진 규범과 규칙들 태양력이고 태음력이라는 생각을 해본다. 그것들을 준수할 때 사회적 비용을 줄이는 것이고 사회는 태양력, 태음력이 질서적이듯 메커니즘적이라고 본다. 기초질서부터 내가 잘 지키고 있는가를 반성해 본다.

할머니와 비

연기가 땅 위를 기어가듯 낮게 깔린다.

날벌레들이 낮게 난다.

잠자리들이 낮게 난다.

모시잎, 은백양잎 등이 뒤집혀 하얗게 보인다.

산 너머 구름이 산을 넘어 내려오다 곧 사라진다.

마파람이 분다.

기적소리가 가까이 들린다.

초롱초롱한 별들이 유난히 청명해 가깝게 보인다.

팔다리가 쑤신다.

달무리가 가깝게 진다 등은 나 어릴 때 내 할머니에게서 들었던 비가 올 징조들이다.

이런 말들을 내 할머니에게서 듣고 얼마(다음 날쯤) 지나지 않아 어김없이 비가 내렸던 것 같다. 정확도가 높은 일기예보이듯 말이다.

지금 생각하면 이토록 잘 맞았던 일기예보가 있었나 싶다. 과학이 발달해 '슈퍼컴퓨터'를 가지고 발표하는 중앙관상대의 일기예보를 능가하는 적중률 같았다는 생각이 드니 말이다. 뿐만 아니었다. 당시 나는 농촌에 살았었고 당시 전답이 수리시설이 안 돼 있었다. 저수지는 고사하고 방죽도 없었다. 수리시설이라고는 둠벙

(웅덩이)이 고작이었다.

즉 하늘을 바라보고 농사를 지어야 했던 천수답이었다. 농사는 물로 짓는 건데 3~4년에 한 번꼴은 가뭄이 들이닥친 것 같다.

이럴 때면 비가 내릴 건가의 적중률만큼이나 내 할머니의 가뭄이 지속될 건가에 대한 예지(일기예보)는 대단했던 것 같다.

내 할머니가 말한 가물 건조의 현상들은 이렇다. 먼 산의 구름이 모자가 된 듯 산봉우리에만 얹혀있다. 재 넘는 먼 산의 구름이 넘어 곧 사라지는 게 아니라 온 산을 하얗게 덮고 있다. 아침에 안개가 낀다. 안개가 낀 이른 아침에 청승맞게 뻐꾸기가 울어댄다.

이런 현상들은 가뭄이 지속될 때 설령 기압골이 통과해 비가 올 거라는 예보에 비가 내린다고 해도 여우비나 안개비, 이슬비 정도에 그치고 마는 경우가 허다했던 것 같다.

내 할머니는 무자생이다. 60갑자를 두 번 하고 7이 더 있다. 살아계신다면 127(2014년 현재)세다. 나 어릴 때만 해도 남존여비 사상이 뚜렷했었다. 이런 시대에 내 할머니 연령대의 여자가 문명인도 있지만 시대적으로 대부분이 문맹이었고 내 할머니도 문맹인이었다.

내 할머니는 비가 내릴 건가의 전조나 가뭄이 지속될 건가의 불길한 전조가 적힌 책이 있었다고 해도 읽지도 못했겠지만 이런 책을 구경도 못 했을 거다.

그럼에도 불구하고, 내 할머니는 슈퍼컴퓨터였다! '기상캐스터'였다!

조선시대 중산층과 현대의 욕심

'궐아소아권(蕨芽小児拳)'은 '추구(推句)'에 나오는 말이다. '고사리 움은 어린아이 주먹 같다'는 말이다. '죽순은 누런 황소 뿔 같다'는 뜻의 '죽순황독각(竹筍黃犢角)'이라는 말과 짝을 이루는 말이다.

불끈 쥔 주먹 힘이 연상된다. 대통령 등 권력자들이 불끈 쥔 주먹을 들어 보이기도 한다.

주먹은 격투기에서 흔히 볼 수 있다. 권투는 게임이 끝날 때까지 시종일관 있는 힘을 다해 쥔 주먹으로 싸운다. 머리를 터지게 싸워 희생자가 발생하기도 한다.

권투는 글로브를 끼어 확대된 듯한 불끈 쥔 두 주먹이 머리통만 하게 느껴지기도 한다. 이 때문에 네모난 링 안에는 일곱 개의 머리가 움직이는 것 같기도 하다. 주심까지 말이다.

레슬링, 유도 등은 주먹을 불끈 쥐고 싸우지는 않지만 주먹을 쥐려는 사전의 준비 상태다. 불끈 쥔 주먹이나 별반 차이가 없다. 상대방을 잡았을 때 주먹을 움켜쥐어 제압한다. 마라톤 등의 달리기도 주먹을 쥐는 데는 오십보백이다.

주먹을 쥔다는 것은 뭔가를 손아귀에 넣겠다는 의미가 내포돼 있다. 스포츠에서 게임을 한다는 건 승리하기 위한 것이다. 우승하게 되면 트로피와 상금을 거머쥔다. 대통령 등 권력자들도 매한가지다. 선거 등에서 패권을 잡은 것이다.

어린아이 손을 빗댄 '궐아소아권'이라는 말처럼 어린아이 손은 고사리순과 비슷하다. 어린아이들은 주먹을 쥐고 있다. 태어나면서부터 뭣인가, 모든 것들을 손아귀에 넣겠다는 듯 말이다!

어찌 보면 인간의 본성인지도 모르겠다. 한도 끝도 없는 인간들의 탐욕 말이다.

나는 오늘 한 통의 '카카오톡'을 받았다. '조선시대 중산층 기준'이라는 글이었다. 내용이 이렇다. '첫 번째 두어 칸 집에서 살고 두어 이랑을 소유하는 것, 두 번째는 겨울과 여름에 입을 솜옷과 삼베옷을 두어 벌 소유하는 것, 세 번째는 한 시렁의 책과 햇빛이 드는 마루 하나, 차 달이는 화로 하나, 늙으면 부축할 지팡이 하나와 당나귀 한 마리, 네 번째는 의리와 도의로 나라의 어려운 일에 바른 말 하고 사는 것'이라는 내용의 글이었다.

현재 우리가 사는 지금의 중산층과 비교가 된다.

사람은 주먹을 쥐고 태어나고 죽을 때는 주먹을 펴고 죽는다고 한다. 고사리 움이 돋을 때는 쥐어져 있는 어린아이 손처럼 오므라져 있고 가을이면 손을 편 듯 쭉 펴져 있는 고사리처럼 말이다.

온갖 욕심을 부리며 사는 게 사람들이지만 죽을 때는 공수래공수거라는 말처럼 뭐 하나 가지고 갈 수 없는 것이다. 거지도 죽을 때는 돈이 남는다는 말이 있다. 평생 동안 빛을 탐구했다고 하는 괴테는 "좀 더 많은 빛이 들어오도록 두 번째 창의 덧문을 열게. 너무 어둡구나."라는 유언을 남겼다고 한다.

조선시대 중산층 기준 중에 햇빛이 드는 마루 하나가 포함돼 있다. 이는 소통의 의미가 함의돼 있다고 본다. 빛의 반의어는 어둠(그림자)이다. 어둠이라는 단절을 의미한다. 괴테의 유언도 빛과 그림자의 소통을 의미한다고 본다. 요즘 유행하는 말이 커뮤니케이션이다. 약자와 강자의 커뮤니케이션이 중요하다고 본다. 움켜쥐고 있는 권력과 돈을 불끈 쥔 주먹을 늦추듯 다시 한번 생각할 때 세상이 아름다울 것 같다는 생각을 해본다.

설날과 구정

"까치 까치 설날은 어저께고요
우리 우리 설날은 오늘이래요
곱고 고운 댕기도 내가 들이고
새로 사온 신발도 내가 신어요"

'설날'이라는 윤극영 작사의 가사다. 이 노래는 설날을 즈음해 방송되는 때가 많다. 며칠 전 설날이었다. 때가 때인지라 이 노래가 TV에서 나왔다.

어렸을 적의 추억이 이스트 섞어 반죽한 밀가루이듯 새롭게 재탄생돼 도드라졌다. 새 옷, 새 양말, 새 신발 등의 설빔은 최고의 선물이었고 최고의 즐거움이었던 것들 말이다. 이건 설날 이야기는 아닌데 마치 자동반사적이듯 찐빵도 반추됐다. 내 어머니가 이스트나 막걸리를 넣고 반죽해 부풀려 찐 찐빵 말이다. 다시 설날로 말을 이으면 새벽에 일어나 세배하고 세뱃돈 받은 건 최고의 추억 같다.

태양력으로 1월 1일을 신정이라고 한다. 태음력으로 1월 1일은 구정(설날)이라고 한다. 어감 자체가 언뜻 구정(설날)은 구시대적이고 신정은 신시대적이라는 생각이 든다. 까닭은 글자 그대로 신정의 새로운 신(新)자와 구정의 옛구(旧)자에서 기인하는 것 같다.

대형마트의 '1+1 행사' 같기도 한 신정과 구정을 요즘은 굳이 신정과 구정이라고 구별하지 않지만 말이다. 태음력의 1월 1일을 설날이라고 하지 구정이라고 말하지 않는다는 것이다.

구정이라고 불러지기도 했던 설날, 우여곡절이 많았다. 나 어릴 때 어른들이 신정을 '일본놈들의 설'이라고 했다. 일제강점기 때 우리의 고유 설날이 억압됐다는 말이다.

나 어릴 때 대개가 구정을 쇴지만 신정을 쇠는 사람도 있었다.

'1+1 행사'라고 해서 필요하지도 않은 상품을 구매한 낭비라고 할까, '1+1 행사' 같은 신정과 구정의 이중 과세는 소모적이라고 한때 구정을 신정에 이원시켰다. 국가적으로 말이다. 즉 이중과세는 소모적이고 태양력을 중시하는 세계적 패턴과도 동떨어져 생산성이 세계적 흐름과 일치하지 않아 경제적 손실이 크다는 이유였다.

하지만 설날이 신정에 정착되지도 않았고 정립되지도 않았다. 5년 동안 '민속의 날'로 좌천되듯 밀려나기도 했던 설, 설날로 안착해 자리 잡았다.

신정에 비중을 뒀던 공휴일이 지금은 설날(구정)로 환원됐다. 태양력으로 해가 바뀌는 1월 1일(신정)만 법정 공휴일이고 설날은 태음력의 1월 1일을 전후로 3일이 법정 공휴일이다.

설날이 빼겼던 구정에 복구레된 것이다. 그런데 설을 설이지만 오래전의 설은 아니다. 예를 들면 절구통에 메질하는 소리가 들리지 않는다. 사라져버린 절구떡, 설빔도 복구레됐으면 좋겠다.

절구떡은 '이바지 문화'이다. 세계 인류 무형문화유산으로 등재된 '김장 문화'를 '나눔 문화'라고 한다. 김장 문화도 나눔 문화이자 이바지 문화지만 꽃등에 있는 이바지 문화, 나눔 문화는 참말로 절구떡이 갖고 있는 것 같다. 절구떡은 나 어릴 때만 해도 혼대사의 이바지에 대표적이었다.

기계로 만드는 떡에 밀려 절구떡 구경하기가 민속촌이나 가면 몰라도 여간 쉬운 게 아니다. 보전돼야 할 하나의 인류무형문화유산을 잃은 기분이다. 전통문화는 우리가 잘 보전해야 할 책무성이 요구되고 전통문화 없는 미래는 없다고 본다.

돌고 도는 삶

굴렁쇠, 반지 등은 원(○)이다. 원 하면 우주를 생각하게 하고 현대 문명의 발전을 생각하게 한다.

기계적 발전은 원에서 구가됐다고 볼 수 있다. 원은 발전의 발현점이라고 해도 과언이 아닐 듯하다. 기계적 동력에는 어김없이 원형이 존재할 터니 말이다. 볼트 하나만 해도 원에서 출발한다.

자동차의 모티프도 원에서 시작됐다고 할 수 있을 것이다. 인력거 우마차를 생각해 볼 수 있는데 원에서 출발하는 것이다.

자동차의 효시는 우마차(달구지)라고 할 수 있다. 달구지의 생명은 원(바퀴)에 있다. 자동차도 매한가지일 것이다. 자동차의 생명이 엔진이니 뭐니 하지만 바퀴일 것이다. 네모가 바퀴가 되지 못하고 세모가 바퀴가 되지 못할 테니 말이다.

우마차는 달구지가 엔진이자 차체이고 견용동물이 에너지원이라고 할 수 있을 것이다.

우마차도 돌고, 자동차도 돈다. 뿐더러 살아 움직이는 것은 모두가 도는 것이라고 해도 될 듯하다. 돈다는 것은 원을 의미한다.

어떻게 보면 사람들의 삶을 '돌고 도는 것'이라고 하면 어떨지 모르겠다. 예컨대 오늘 하루를 생각해도 어디를 다니든 돌고 돌아오는 것이라고 말이다.

나 어릴 때 내가 나의 아버지에게 한 인사말이 떠오른다. 외출하고 귀가하는 아버지에 하는 인사말이었다. 표현력이 뒤떨어졌던 아이였다. 게다가 아주 어렸을 때였다.

어설프게 떠듬떠듬했던 인사말인 "아버지 다녀오셨어요."라고 했다. 내 어머니는 어디 어디 들렀냐고 하셨던 것 같다. 아니 대부분 그랬다. 어디 어디 들린다는 것은 돌고 도는 원을 생각하게 한다.

인간들의 삶만 도는 게 아니라 인간들의 생활에서 발생하는 보이지 않은 쓰레기(자동차 매연 등)도 돌고 돌아 도는 것이라고 할 수 있다. 자동차가 발명되기 전 우리보다 수백 년이 발전된 유럽의 도시에는 우마차가 성행했다고 한다.

이에 따라 당시 문제가 됐던 견용동물의 분비물이 자동차의 발명으로 사라지자 깨끗한 도시가 됐다고 반색했다고 한다.

하지만 자동차가 만병통치의 해결책은 아니었다. 자동차가 견용동물의 똥오줌 등 분비물에서 발생하는 악취와 미관상 혐기와 퇴적됨을 해결했지만 또 다른 환경오염을 야기시켜 결국 해결책이 아니라는 것이다.

에너지 절약형의 자동차로 하이브리드차가 유행하고 있다. 이를 뒤따르는 전기자동차가 주목을 받고 있다. 머잖아 전기자동차가 주류를 아니 전기자동차만이 다닐지 모른다는 생각을 해본다. 전기자동차는 소음도 적고 공해도 적은 이점이 있다.

하지만 문제는 전자파일지 모른다는 생각을 해본다. 이미 휴대폰 등에서 발생되는 전자파로 말미암아 꿀벌 등의 피해가 발생하고 있다는 보도가 있은 지는 오래됐다. 발전도 좋지만 그에 부합되는 해결책도 같이 가져왔으면 하는 생각을 해본다. 지금까지 발전이 환경을 생각하지 않은 일방통행이었다면 발전과 환경이 쌍방향이 되게 해야 스마트한 시대답게 스마트한 발전이라고 할 수 있을 것 같다는 생각을 해본다.

삶의 무게를 뺄셈으로 줄이는 법

덧셈과 뺄셈 가운데 어느 것이 더 어려울까. 50명에게 물어봤다고 한다. 대답이 "그게 그거 아니냐.", "잘 모르겠다.", "덧셈이 쉽다." 였다고 한다. 덧셈이 쉽다고 대답한 사람이 대부분이었다고 한다. 정확한 숫자는 그게 그거 아니냐라는 대답이 1명이었고, 잘 모르겠다라고 대답한 사람이 2명이었고, 덧셈이 쉽다라고 대답한 사람이 47명이었다고 한다.

뺄셈이 어렵다는 말이다. 눈여겨볼 대목은 뺄셈이 쉽다는 대답이 한 명도 없었다는 것이다. 덧셈과 뺄셈 난도의 차이가 얼마만큼 나는 걸까 하지만 그 난도는 별반 차이가 없다고 한다.

그런데도 덧셈이 쉽게 느껴지는 것은 익숙해진 데서 오는 것인지 모르겠다는 생각을 해본다.

우리의 삶은 온통 덧셈 속에서 살고 있다는 생각이 든다. 우리의 삶의 나이테인 나이를 한 해 한 해 더해가는 것에서부터 말이다.

우리 가족은 여남 평 되는 전셋집에서 살다 22평짜리 아파트를 구입해 이사했다. 처음으로 구입한 집이었다.

운동장 같았던 집이 한 해가 가고 두 해가 가고 몇 해가 가더니 우리 가족이 살기에는 너무 협소하게 됐다.

아이들 책상 등을 작은 것으로 마련하기도 했지만 자질구레한 소품에서부터 옷가지 등이 가세했다. 이 집이 언제 운동장 같았나 싶었다.

이 아파트가 재건축이 돼 지금은 33평 아파트에서 살고 있다. 현재의 아파트로 입주할 때였다. 이 아파트가 축구장이고 재건축되기 전 운동장 같았다고 했던 22평 아파트는 유치원 운동장이라는 생각이 들었다. 이전보다 어마어마하게 넓게 느껴졌다는 말이다.

하지만 지금은 어떤가. 이전 22평 아파트에서 그랬듯 포화상태다. 좁기는 그때나 지금이나 마찬가지라는 말이다.

단적인 예가 신발장이다. 신발장 규격이 가로가 150㎝ 높이가 235㎝이다. 이 신발장 안에는 상당 부분 신발이 포개져 있다. 한날 이 신발장 안에 있는 신발을 세어 보았다. 65켤레 가까이 됐다. 식구가 다섯 명, 한 명당 13켤레꼴인 셈이다. 요컨대 식구 다섯 명이 신는 신발은 고작 30켤레도 안 된다.

버려야 할 것들을 버리지 않아 채워져 있다는 것이다. 집 안에는 버려야 할 것들이 태반이다. 가구도 있을뿐더러 장롱 속도 물론이려니와 수납장은 해묵은 잡동사니들이 가득해 서랍이 잘 닫히지 않는다.

수납된 공간을 꾹꾹 누른다든가 해야 겨우 닫칠 때가 있다. 어떤 수납장은 매번 그럴 지경이다. 덜어내야 하는 것을 덜어내지 않기 때문에 빚어지는 동맥경화 현상이다. 신발장 안이 그렇듯 수납장도 80%는 버려야 할 것들로 채워져 있다.

우리 몸은 덜어내고 밀어낸다. 땀을 흘리고 소변을 누고 변을 누는 것은 생리적 현상이다. 덜어내는 것이다. 덜어냄으로써 우리 몸은 신진대사가 원활하고 건강하다고 한다. 소변은 참으면 독이 되고 대변을 참으면 약이 된다는 말이 있다. 잘못된 말이고 집 안에 쓰레기를 쌓아두는 것과 같은 격이라고 한다.

'잘 먹고 잘 싸야 한다.'는 말이 있다. '장이 건강해야 한다.'는 말도 있다. 100종류 이상의 미생물 100조 마리가 살고 있다고 하는 장에 노폐물이 쌓이면 치명적일 수 있다고 한다. 장에 노폐물이 쌓이면 우리 몸에 유익한 미생물은 줄고 유해한 미생물의 활동이 활발해져 건강에 악영향을 미친다는 것이다.

마찬가지다. 집 안도 공기 순환이 원활해야 집 안의 기가 살아 움직일 것이다. 혈액순환이 잘 돼야 건강하듯 말이다. 창문을 열어 공기를 순환시키는 것도 같은 맥락이다.

집 안의 벽면 등에 핀 곰팡이를 볼 수 있다. 습기가 있는 곳이라면 곰팡이가 피기 일쑤지만 같은 환경이라도 공기 순환이 잘되고 햇빛이 드는 곳에는 곰팡이가 피지 않는다. 곰팡이가 핀다는 것은 부패하고 있다는 말이다.

덧셈에 길든 것 같은 우리 몸은 어쩌면 덧셈은 후천적이고 덜어내는(뺄셈) 것은 선천적일지 모른다는 생각을 해본다.

미련 없이 덜어낼 때 우리의 몸과 마음이 건강해지고, 운동장 같은 데서 살고 있다는 여유로운 생각을 할 수 있을 것 같다. 입주할 당시 운동장 같았던 그 느낌 그대로 말이다.

미래를 위한 씨앗,
인문학의 역할

콩나물을 기르는 데는 물만 뿌려줘도 잘 자란다. 인산비료나 칼리비료 없는 질소질비료만 섭취해도 잘 자라는 것이 콩나물이라고 할 수 있다. 어릴 때 콩나물 기르는 것을 봤다. 콩을 불려 앉힌 시루에 수분이 마르지 않도록 하루에 수차례 물을 흠뻑 뿌려주면 그만이었다. 재미 삼은 것 같은데 콩나물시루에 직접 물을 뿌려주기도 했다. "콩나물 자라듯 한다."는 말이 있는데 콩나물로서 성체가 될 즈음에는 하룻밤 자고 나면 한 뼘은 자란 듯한 기억이 있다. 그 어떠한 비료도 주지 않고 물만 뿌렸는데도 잘 자랐다는 말이다.

질소질비료, 인산비료, 칼리비료는 곡식을 얻는 데 필요한 요소다. 인산비료와 칼리비료를 브레이크라고 생각해 봤다.

곡식을 얻는 데는 식물이 콩나물 자라듯 웃자라지 않고 적당히 성장해야 하는데 인산비료와 칼리비료는 식물의 웃자라는 성장을 억제한다고 할 수 있어 '브레이크'라고 해보는 것이다. 인산비료와 칼리비료가 식물의 생장을 돕기도 하지만 성장보다는 뿌리와 결실에 필요한 요소이기 때문이다.

질소질비료는 단백질 형성을 돕는 작용으로 웃자라게 하는 성질이 있다. 상추와 같은 잎을 위주로 하는 채소에는 적격이라 할 수 있다.

성장을 하는 것은 식물이나 사람이나 마찬가지다. 그렇다면 사람에도 브레이크가 있을 법한데 사람의 브레이크는 인문학이라고 생각해 본다.

웃자라지 않게 해 곡식을 얻는 데 인산비료와 칼리비료가 필요하듯 사람도 웃자라지 않게 하기 위해서는 인문학이 필요하다는 말이다. 사람에게 뿌리혹박테리아 같은 인류 문화의 모든 학문인 인문학은 즉 정치, 경제, 사회, 문화, 역사, 철학은 물론이려니와 사람이 지녀야 할 덕목 등 정신계의 학문이다. '사람이 돼야 한다.'라고 가끔 정치인이나 유명인이 회자시키기도 하는데 사람이 되게 하는 학문이다. 쭉정이 없는 이삭이 되게 하는 것이다.

인문학은 콩나물을 기르는 것이 아니라 콩을 기르는 것이라고 생각해 본다. 우리나라를 동방예의지국이라고 하는데 그 기저에는 인문학이 밑바탕이었다고 할 수 있을 것이다.

하지만 그 명예를 실추한 지 오래됐다. 자원 없는 나라로서 수출에 의존해 먹고사는 나라로서 동방예의지국이라는 무형적 명예를 수출해 먹고살았다는 생각이 드는데 되레 수입해야 할 지경인 듯하다. 이렇게 된 데는 급격한 경제발전에서 기인할 수도 있지만 1등만을 중시하는 메커니즘의 병리적 사회가 더 짙다고 본다.

꼭 어떤 한 음식이 좋다고 그 음식만 섭취하면 우리 몸은 불균형을 초래할 것이다. '주입식 교육'으로 1등만을 치닫고 가는 것, 우리 사회가 양산해 낸 편식이다. 이 같은 편식은 비정상의 정상(頂上)을 만드는 공장이다.

영양소 불균형에 따른 비타민 결핍현상이 나타나고 있다. 단적인 예다. 서울대가 2014년 대입시험에서 반란을 일으키고 명제를 제시한 것 같다는 생각을 갖게 한다.

수능시험에서 만점을 받은 응시자를 구술면접에서 탈락시킨 예 말이다. 구술면접에서 탈락한 응시자, 1등만을 추구하는 사회가 낳은 선의의 피해자라는 생각을 해본다.

1등만을 추구하는 것은 콩나물과 다를 바 없다. 콩나물은 콩나물국, 콩나물 비빔밥, 콩나물 무침 등을 해 먹으면 끝이다. 콩나물에서는 콩을 얻을 수 없다는 말이다.

한발 더 나아가면 콩을 얻을 수 없다는 것은 이듬해 콩 농사를 지을 씨앗이 없다는 말로 미래가 없다는 말도 되겠다.

인문학을 중시하는 사회(나라)가 선진국이 됐다는 말이 있다. 이 말은 개인의 발전도 함의돼 있다.

인문학은 풍부한 미네랄을 함유한 종합비타민이다. 인문학은 국가의 이삭을 키우는 레버리지(지렛대)이자 개인의 이삭을 여물게 하는 레버리지이다.

양질전환의 법칙

벼, 보리, 콩 등의 곡류는 수확하면 잘 여물고 우량한 것으로 고른다. 이듬해 농사를 지을 씨앗이다.

배추, 무, 참외, 수박 등은 종묘상 등을 통해 종묘나 씨앗을 공급(구매)받아 주로 재배가 이뤄진다. 전자와 후자 방식은 다를지라도 '씨앗이 좋아야 한다.'는 말이 있듯 좋은 유전자를 고르는 격이다.

그럼 씨앗이 좋으면 다일까. 그건 아니라고 한다. '밭도 좋아야 한다.'는 말도 있듯 씨앗만 좋으면 뭐 하냐는 것이다. 좋은 씨앗이라고 해도 좋은 밭이라야 잘 자랄 수 있다는 말이다.

쌍둥이를 생각해 볼 필요가 있다. 같은 유전자로 한날 한시에 태어났지만 환경에 따라 전혀 다른 삶을 살기도 한다고 한다. 더구나 놀라운 것은 같았던 유전자에 다르게 변화가 일어난다는 것이다.

닭이 먼저냐 달걀이 먼저냐는 식의 풀기 어려운 천재는 선천적인가 후천적인가 화두가 될 수 있다. 그런데 유전자의 영향지수가 환경의 영향지수보다는 약간 높다고 한다. 약간이 됐든 좋은 유전자는 필요하다는 말이고 즉 좋은 씨앗이 필요하다는 말이다.

하지만 밭이고 후천적인 환경이 중요하다는 것을 2014년 소치 동계 올림픽을 보고 느꼈다. 이 동계 올림픽에서 네델란드, 노르웨이 등의 선수들이 두각을 보였다.

그들 나라들은 겨울이 길고 강설량이 많은 나라라고 한다. 놀이터이듯 문밖에만 나가면 동계 스포츠에 천혜의 여건을 갖췄다고 할 수 있겠다.

이들 나라 선수들의 뛰어난 두각을 보면서 '고기도 먹어본 사람이 잘 먹는다.'고 안 해보고 할 수 없고 많이 안 하고 잘할 수 없다는 원론적인 생각을 해보면서 '양질전환의 법칙'을 생각하게 한다. 양질전환의 법칙이라는 것은 양적으로 발전하다 어느 순간 양보다는 질적으로 변화돼 가는 것을 말한다. 이 법칙은 헤겔의 철학이라고 하는데 엥겔스가 수용해 자신의 유물론이 되게 한 것이라고 한다.

같은 유전자를 지닌 쌍둥이가 환경에 따라 전혀 다른 삶을 살고 유전자의 변화까지 발생한다고 하듯 좋은 유전자(직종에 적격하고 우량한 체격조건)가 아니라고 해도 '퀀텀점프(대도약)' 할 수 있다는 생각을 한다. 노력 여하에 말이다. 커리큘럼 이야기이나 최신 교육학에 의하면 인간의 인식은 고정적인 게 아니라 상황적이라고 한다.

'봉달이'라는 별명을 가진 마라토너 이봉주가 대표적이라고 할 수 있다. 그는 마라톤에는 치명적이라고 할 수 있는 평발인데다 한쪽 발이 5밀리미터 짧은 짝발인데도 불구하고, '41세까지만 해도 41번'의 마라톤을 완주한 족적을 남긴 선수이다. 그를 열이면 열 모두 마라토너의 좋은 유전자를 가졌다고는 하지 않을 것이다.

그의 업적은 그가 받은 체육훈장인 청룡장이 말해준다. 청룡장은 체육훈장 가운데 등급이 가장 높은 등급이라고 한다.

그는 1998년 방콕 아시안 게임에서 우승했고 2001년에는 보스턴 마라톤 대회에서 우승했다. 2002년에는 국내에서 열린 부산 아시안 게임에서 우승해 2연패를 달성했다. 그는 마라토너로서 '노인'의 나이인 37세였던 2007년에는 동아 마라톤 대회에서 우승해 세상을 놀라게 했다. 그는 2시간 7분 20초라는 한국 기록을 갖고 있다. 2위를 한 2000년 도쿄 마라톤 대회에서 세운 기록이다.

마라토너로서 열등한 체격을 가진 그는 '남처럼 운동해서는 이길 수 없어 남들보다 일찍 일어나 늦게까지 노력했다.'고 한다.

41세까지 41번 마라톤을 완주한 그가 41가지 이야기를 담은 『봉달이의 4141』이라는 책에는 "마라톤은 참 고통스럽다… 죽도록 고생한다. 누가 대신해 줄 수도 없다. 성적보다는 포기하지 않고 결승선을 통과했다는 사실에 희열을 느낀다."라는 말이 생각이 난다.

마라톤은 달려야 하는 경기다. 마라톤은 우리 삶과 같다고 한다. 이봉주가 "결승선을 통과했다는 사실에 희열을 느낀다."고 한 그런 희열, 그런 성취감을 만끽할 때 엔돌핀이 생기고 더 많은 양질의 유전자 변화가 있을지 모른다는 생각을 갖는다. 물이 100도가 되면 변화돼 에너지가 발생하는 것처럼 말이다. 달려야 하는 우리들의 삶, 어떻게 달리느냐에 따라 유전자 변화의 움직임이 판이할지도 모르겠다.

무궁화 나무:
2130년을 상상하며

바야흐로 2130년 여름이다. 서울에서 열리는 '무궁화축제'가 시작됐다. 10회째 맞이하는 축제다.

매년 7월 12일부터 31일까지 20일 동안 열리는 '무궁화축제'는 42.195㎞ 마라톤 풀코스와 비슷한 42.5㎞인 올림픽대로 전 구간에서 열린다. 마라톤 풀코스로 하면 딱(안성맞춤)이라고 말하는 사람도 있다(축제기간 차량은 전면 통제된다).

올림픽대로의 무궁화나무는 115년 전인 2015년에 약 5미터 간격으로 식수된 17,000그루가 올림픽대로의 양쪽에 각 8,500그루씩 자라고 있다. 애당초 식수된 그대로이다. 2015년은 일본의 아베 정부와 각을 세운 박근혜 대통령 시대였다. 18대 대통령이다. 115년이 지난 무궁화나무는 42.5㎞를 연리지처럼 하나로 잇고 이것이 부족한 듯 좌우 손을 맞잡은 듯 아치를 이루고 있다. 꽃 숲속의 아치형 터널로 세계 최대의 장관이다.

올림픽대로의 무궁화꽃 터널 안은 마치 밤하늘에 은하수라고 할까, 무궁화꽃으로 환상적인 분위기를 내며 아름답게 수놓고 있다. 낮과 밤을 착각할 정도로 말이다. 밤에는 형형색색의 조명을 받는 오므려진 꽃들 낮에 볼 수 없는 새로운 또 다른 장관이다.

이 '무궁화축제'는 대한민국의 많은 축제 가운데 최대일뿐더러 세계 최대의 꽃축제이다. 축제기간인 20일 동안에 세계에서 모이는 인파가 무려 5억 5,000만 명으로 상상을 추월하는 인파다. 하루에 2,750만 명이 관람하는 셈이다.

이 축제 기간에 무궁화꽃 구경 외에 구경할 만한 게 또 있다. 하루 수천 쌍의 청춘 남녀들의 프러포즈가 이루어진다. 하루 수백 쌍의 노천 결혼식도 진행된다. 실내 아닌 실내에서 결혼식이 진행된다는 생각이 든다. 지구상의 그 어느 곳에서도 볼 수 없는 진풍경이다. 참말로 세계의 웨딩홀이 된 것이다.

세계인의 웨딩홀이 되고 세계 청춘 남녀들의 프러포즈 메카가 된 데는 42.5㎞를 좌우 각 8,500그루씩인 17,000그루의 무궁화 나무가 폭 40미터의 왕복 8차선 도로를 연리지처럼 손을 맞잡은 듯 하나같아 이곳에서 사랑의 프러포즈나 결혼을 하면 찰떡궁합처럼 부부가 하나가 돼 금실지락으로 잘 산다는 가십이 지구촌으로 퍼졌기 때문이다. 이 축제에서 서울시가 벌어들이는 세수 관광 수입의 80%를 차지한다.

중요한 것은 축제 기간만이 축제가 아닌 셈이라는 것이다. 즉 여름부터 개화가 시작된 무궁화 꽃이 피고 지기를 거듭해 늦가을까지 이어져 무궁화 꽃축제도 늦가을까지 볼 수 있다는 것이다. 이때까지도 관광객이 끊이지 않고 있기 때문이기도 하다. 심지어 한겨울에도 결혼식 장면을 볼 수 있다. 프러포즈쯤이야 허다한 일이다.

화무십일홍이라는 말이 있듯 꽃이라는 게 열흘 보기 어려운 법이다. 열흘 정도면 지고 말 '워싱턴 벚꽃축제' 같은 건 조족지혈이라는 생각이 든다.

매년 관광수입의 35%를 차지한다는 워싱턴 벚꽃축제는 대한민국의 빼저린 역사와 관계돼 있다. 워싱턴의 벚나무는 1912년 3월, 당시 오자키 유키오라는 도쿄시장이 300그루의 묘목을 선물한 것이라고 한다. 당시 미국의 윌리엄 하워드 태프트 대통령이 일본의 조선 지배를 인정해 준 답례격이라고 한다.

올림픽대로 전 구간에 무궁화나무 묘목이 17,000그루를 심어 조성한 뒤 100여 년이 지난 뒤를 가상해 봤다.

무궁화 나무는 씨앗으로도 증식이 되고 삽목을 해도 쉽게 뿌리를 내려 전부가 산다고 할 수 있을 만큼 생명력이 강한 나무이다.
무궁화나무는 벚나무와 견줄 바가 아니다. 눈 날리듯 꽃잎이 하나씩 날리는 벚꽃과는 다르게 무궁화 꽃은 낙화에도 스케일이 커 중량감이 있고 매우 범상하지 않다.

동백꽃처럼 꽃송이째 낙화하는 무궁화 꽃은 동백꽃과는 또 다르다. 동백꽃은 펴진 그대로랄까 넓적이 낙화하고 무궁화 꽃은 부활하려고 하듯 다시 꽃봉오리가 맺는다고 할까 마치 꽃봉오리가 맺은 것처럼 오므려 낙화한다.

어떻게 보면 그 모양이 흡사 유도탄이 낙하하는 것 같기도 하고 유성우가 낙하하는 것 같기도 하다. 2014년 진주에 낙하한 유성우가 차량 블랙박스에 잡혀 그 아름다움이 고스란히 연출된 것처럼 말이다. 이 블랙박스에 잡힌 이 동영상은 동영상으로 실체가 남게 된 최초의 낙하 운석일지 모른다는 생각이 든다. 대한민국 역사상 말이다.

무궁화 꽃의 낙화는 임진왜란 때 논개가 진주성을 함락한 왜장 게야무라 로쿠스케를 껴안아 열 손가락에 가락지를 낀 손으로 깍지를 끼고 남강에 투하하는 것 같기도 할 것 같다.

무궁화나무 17,000그루를 올림픽대로 양옆에 잘 조성해 후손에 물려줬으면 싶다.

부부간의 협력과 배려:
널뛰기에서 배우는 교훈

우리나라의 여성들이 하는 전통놀이 중에 스케일이 큰 두 가지가 있다. 널뛰기와 남원 광한루의 춘향이를 연상하게 하는 그네이다.

널뛰기는 정월에 하는 놀이이고 그네는 오월 단오절에 하는 놀이이다. 스케일이 크다는 공통점을 갖고 있는 이 두 놀이는 높이 뛰어 담 밖을 볼 수 있다는 공통점도 있다. 널뛰기는 여성들이 담 밖을 보기 위해 뛰었다고 유래되고 있다. 그네는 담 안에서 하는 놀이라고 하기보다는 집 밖에서 하는 놀이다.

그네는 쌍그네뛰기와 외그네뛰기, 즉 둘이서 뛰기도 하지만 혼자서도 뛸 수 있는 놀이다.

널뛰기는 혼자서 하는 놀이가 아니다. 널 중간에 짚단 등을 괴고 널 양단쯤에 마주 보고 올라서 한 사람이 구르면 반대쪽에 있는 사람은 널에서 발을 떼 공중으로 치솟는다. 치솟은 사람이 만유인력으로 내려와 널에 닿게 되면 반대로 상대방이 공중으로 치솟는 놀이로 반복 동작이 연속되는 놀이다. 쌍그네뛰기도 마주한 두 사람 중 한 사람이 앉았다가 일어나면서 발판을 밀면 일어서 있던 사람도 같은 동작을 하며 호흡을 맞추지만 널이야말로 상호 협력의 백미다.

널은 한 쪽이 구르는 만큼 상대방이 공중으로 올라가게 돼 있다. 다시 말하면 내가 구르는 만큼 상대가 오르고 이건 내게 곧 반동되는데 무릎을 구부려 최선을 다할 때 상대가 높이 오르고 나 또한 상대가 내려와 최선을 다할 때 높이 오를 수 있다는 말이다. 요컨대 자력만으로는 높이 오를 수 없다는 말이다.

널뛰기를 겸손과 배려의 미덕이라는 생각을 한다. 무릎을 구부려 나를 낮추고 상대방을 공중에 띄워 높이 오르게 하는 이런 겸손과 배려가 또 어디 있겠나 싶다.

우리나라가 OECD(경제협력개발기구) 국가 가운데 이혼율이 1위라고 한다. 황혼 이혼율도 1위라고 한다. 부끄러운 일이다. 어찌 보면 국가적인 수치라고 할 수 있고 미래지향적이지 않다.

행복이라는 것은 가정에서 출발하고 부부에서 기초하는 것이라고 할 수 있다. 우리나라 GDP(국내 총생산량) 3만 달러를 내다보고 있지만 부부라는 것은 돈만 가지고 행복할 수 있는 것은 아니다.

GDP 2만 5,000달러인 지금 이혼율 1위는 부부간의 컨트롤 부재에서 기인하는 것이라고 할 수 있다. 부부라는 것을 흔히 '동반자'라고 하는데 (나는)'협력자'라고 하다가 언제부터는 '동업자'라고 한다. 동업자라고 규정하는 게 가장 적합한 표현 같다.

동업은 잘하기가 아주 어려운 것이라고 말들 한다. 마찬가지로 부부간도 같은 거라는 생각을 한다. 서로에 배려가 긴요하다. 널뛰기하듯 말이다. 낮은 자세 말이다. 널을 뛰는 것은 긴장의 연속이다. 긴장이 지속돼야 한다.

'잡아놓은 물고기에 낚싯밥 안 준다.'는 말처럼 결혼을 하면 느슨해진다. 잡아 놓은 물고기에 먹이를 줄 필요 없다는 자세 부부간의 생태계를 몰이해하는 것이다.

느슨하면 나사가 풀린다. 나사가 풀리면 고장나게 돼있다. 상시 낚시하는 자세여야 한다. 물고기에 먹이를 안 준다는 말은 유효기간이 지났다는 생각을 한다. 시대적으로 말이다. 패러디해야 한다. '잡아놓은 물고기에 먹이 준다.'라고 말이다.

이만섭 전 국회의장이 했다는 말이 생각이 난다. "사랑을 계산해서 결혼한 사람은 대부분 파경에 이릅니다. 정치도 마찬가지입니다. '내가 이런 발언을 하면 유리할 거야'라고 계산하면서 정치하는 사람은 크게 성공하지 못합니다. 사랑도 정치도 꾀가 아니라 가슴으로 하는 겁니다."

1대(20량)에 200만 개의 부품이 들어간다는 KTX가 고장이 잦아 '고장철'이라는 오명을 덮어쓴 적이 있다.

2013년 8월에는 서울발 부산행 열차가 고장을 일으켰다. 7월에도 부산발 서울행 열차가 고장으로 터널 안에 갇힌 적이 있다. 2010년, 한국 최초의 우주발사체가 발사한 지 얼마 지나지 않아 공중에서 폭발했다. 이 우주발사체의 폭발 원인이 하나의 볼트 결함으로 밝혀졌다. KTX 고장도 부품 결함으로 밝혀졌다.

흔히 한일 관계를 일의대수(一衣帶水)라고 한다. 부부 관계를 일의대수라고 생각해 본다. 즉 부부라는 것은 1대의 열차인데 차량과 차량을 연결한 것이라는 것이다. 차량과 차량을 연결한 매개체는 고리이다. 이 고리를 단단히 확충할 필요가 있다는 말이다.

사람은 기계적 장치와는 전혀 다르다. 200만 개의 부품을 가진 KTX는 아무것도 아니다. 기계적 장치는 고정화돼 있지만 다른 것은 죄다 차치하더라도 사람은 생각만 해도 수백만 가지는 생각해낼 수 있을 것이다. 고무줄처럼 늘었다 줄었다 하는 것이 생각이다.

부부라는 것은 아마추어가 아니다. 프로이다. 연애 시절이 아마추어다. 프로에 걸맞은 건 고수(노하우)와 컨트롤 타워이다. 널뛰기의 고수가 높이 뛰어오르는 것처럼 말이다.

널뛰기의 고수는 마루운동의 프로선수를 보는 것 같다. 외줄타기가 있다. 외줄타기는 공중에서 돌기도 하고 두 다리를 양옆으로 벌리기도 한다. 이때 관중이 "대문 열어라."는 말을 하기도 한다. 공중에 올라 두 다리를 앞으로 쭉 뻗어 'ㄴ'자로 만들기도 한다. 부부라는 것은 기예(技礼)가 필요하다. 대문이 열렸다고 무턱대고 걸어들어가는 법은 없다. 예를 갖춰야 하는 법이다. 부부간의 행복도 이러한 것들이 담보됐을 때 가능할 것 같다는 생각을 해본다.

봄이 찾아왔지만 빗소리만 남아

봄은 언제부터일까 24절기로 보면 한자어로 '봄이 들어섰다'는 뜻의 입춘이 되면 봄이라고 한다. 하지만 매년 2월 4일 아니면 5일에 드는 입춘은 기상학적(기상청)으로 말하는 봄과는 상당한 차이가 있다.

기상학적으로 말하는 봄은 하루 평균기온이 9일 동안 섭씨 5도 이상으로 올라간 뒤 5도 이하로 내려가지 않는 첫째 날을 봄의 시작으로 기준한다고 한다.

이 때문에 기상학적으로 봄을 구분하는 기준은 천문학에서 24절기로 기준하는 것처럼 일정하지 않다는 말이다. 날씨에 따라 이를 수도 있고 늦을 수도 있다는 말이다.

2014년 봄이다. 이번 봄은 많은 것을 생각하게 하는 것 같다. 이상기온을 징험한 봄이었다. 봄인 줄 알고 깨어났을 개구리, 도롱뇽 등이 얼어 동사했다는 뉴스가 있었다.

남녘의 꽃 소식도 일찍 전파를 탔다. 예년보다 일찍 산수화가 피고 동백이 피고 벚꽃 등이 피었다는 소식 말이다. 화신이 제주에서 서울까지 오는데 보통은 15일이 걸리는 데 3일 걸렸다는 소식도 있었다. 하지만 외려 벚꽃 같은 경우는 여의도 벚꽃이 남부지방의 벚꽃보다도 일찍 피었다는 소식도 있었다. 기상관측 이래 여의도 벚꽃이 3월에 피기는 처음 있는 일이라는 뉴스가 있었다.

4월 13일 둘째 일요일이었다. 여의도 벚꽃은 이미 꽃에서 잎으로 갈마드는 교체기였다. 서해안고속도로를 이용해 군산에 갔다 왔었다. 당일치기였다. 군산의 벚꽃이 만개해 있었다. 서울을 벗어나 경기도 충청도로 이어지는 고속도로 주변의 벚꽃도 한창이었다. 뉴스에서는 접했지만 남녁에서 서울까지 15일이 돼야 북상한다는 화신과는 반대로 남녘보다 위쪽 지방에 먼저 찾아온 것을 보니 계절이 철없다는 생각이 든다.

예기치 않게 찾았다고 할까 갑작스레 찾아온 화신은 오작동을 일으켰다. 연례행사로 진행돼 온 '여의도 벚꽃축제'가 차질이 생겼다.

부랴부랴 열흘 정도를 앞당겨 개최했다. 하지만 만개한 벚꽃 속에 치러져야 할 '여의도 벚꽃축제'는 달로 치면 기운 달로 하현달이었다고 하면 될 것 같다. 만개한 때를 놓쳤다는 말이다. 지나치게 표현하면 꽃축제는 있되 꽃 없는 꽃축제 같았다고 말이다. 여의도 윤중로에서 벌어지는 벚꽃축제는 1,000만 명의 서울시민만의 행사가 아니라 인천, 수원 등 경기도 일원에서 모이는 대규모 행사이다. 이렇게 크나큰 행사에 차질을 빚게 한 게 이상기온이었다.

종잡을 수 없는 날씨. "예상할 수 없는 것을 예상하라. 그리고 예상할 때는 예상 못 할 것을 감안해서 예상하라."고 삼성 사장단 회의에서 요구했다는 전 유엔 대사의 말로 말미를 갈음한다.

계절의 철과 인생의 철

계절을 의미하는 철이 있고 사리를 분별하는 능력의 힘을 의미하는 철이 있다. 계절을 의미하는 철이 일찍 들기도, 늦게 들기도 한다. 사람에 주어지는 철도 들쭉날쭉하기는 마찬가지다.

사계절의 철을 사람의 마음에서 결정되는 철에 이입해봤다. 계절을 의미하는 철과 마음으로 분별하는 척도를 의미하는 철이 들쭉날쭉해 공교하다는 생각을 가져서다.

계절이 일찍 들어도 늦게 들어온 거기에는 장단점이 있을 것이다. 사람의 철도 일찍 드나 늦게 드나 장단점은 사계절의 철과 오십보백보 터이지만 많은 사람들이 애늙은이를 원한다. 철이 일찍 드는 것을 말이다.

철이 늦게 드는 것 엄연히 부작위(마땅히 해야 할 일을 하지 않음)라고 할 수 있지만 대기만성으로 보면 어떨까! '곡선이 직선을 이긴다.'는 말이 있다. 철이 늦게 드는 것, 곡선을 그리고 있는 것이라고 보면 어떨까!

작은 그릇을 빚는 것과 큰 그릇을 빚는 것은 어마어마한 차이가 난다고 한다. 큰 그릇을 빚는 데는 정성과 노력 많은 시간이 소요

된다는 말이다.

농경시대였다고 할 수 있는 어릴 적 기억이 불현듯 떠오른다. 요즘에야 농촌도 대부분 수세식(양변기) 화장실이지만 당시는 뒷간 개념의 화장실이었다. 재래식 화장실에서 주된 것이 옹기 항아리였다.

상단 부분만 남기고 땅에 묻은 옹기 항아리에 대소변을 받는다. 대소변은 토양을 산성화하게 하는 것이지만 퇴비만큼이나 유용한 거름이었다.

농경시대에는 몇 대가 한 집에 모여 사는 대가족제도였다. 이 때문에 화장실에 용량이 큰 옹기 항아리가 필요했다. 옹기 항아리가 클수록 좋아서 거름 창고 같은 큰 옹기 항아리가 절대적이었다. 요즘 스마트폰 등의 메모리 용량이 많아야 편리하듯 말이다. 대소변을 보는 옹기 항아리가 작으면 번번이 차는 대소변을 무시로 비워내야 하는 어려움이 있었다. 요컨대 대소변도 퇴비처럼 숙성기간이 필요한데 숙성시키지 않고 논밭에 뿌려야 했다. 숙성되지 않으면 거름과는 거리가 멀다. 이건 기생충 감염의 매개였을 거라는 생각이 든다. 무시로 논밭에 뿌렸던 숙성되지 않은 대소변은 국민의 건강과도 밀접했다고 본다.

이러한 문제점들이 현안이었지만 허기 채우기도 바쁜 보릿고개 시절 큰 옹기 항아리를 확보해 화장실 용도로 한다는 것은 요원한 일이었다. 가격 때문이었다. 대개는 작은 옹기 항아리 한두 개 묻어 화장실로 사용했다.

크기 대비 가격을 대입하면 옹기 항아리가 클수록 기하급수적 가격였다는 생각이 든다. 예를 들어 1,000리터들이, 2,000리터들이, 3,000리터들이, 4,000리터들이, 5,000리터들이 다섯 개의 옹기 항아리가 있다고 가정하면 가격이 다섯 배로 늘어나는 것이 아니라 수십 배는 됐던 것 같아 기하급수는 됐을 것 같다는 생각이 든다는 것이다. 당시 화장실 용도로 사용한 큰 옹기 항아리 규격이 적어도 지름이 1미터는 족히 넘고 높이는 1.5미터 이상이었지 않았나 싶다. 일러두면 옹기 항아리가 사양화 됐지만 우리나라의 옹기를 빚는 기술은 발전해 세계에서 가장 큰 옹기 항아리로 기네스북에 등재된 항아리가 있다고 한다. 이 옹기의 둘레가 5.2미터 높이가 2.3미터라고 한다.

당시는 대소변 용도로 사용하던 큰 옹기 항아리가 사고팔고 거래가 됐다. 중고품 거래였던 셈이다. 이주를 한다든가 세간이 기울었을 때 매매가 있었다. 옹기 항아리가 사양화된 지금으로써는 똥 항아리를 파내 매매가 이뤄졌다는 것이 격세지감이라는 생각이 든다.

대소변 용도로 큰 옹기 항아리를 사용한다는 것은 부의 상징의 하나라고도 할 수 있다. 당시 장독대는 그 집 형편의 정도를 짐작할 수 있는 가늠자였다. 크고 작은 장독들이 장독대에 몇 줄로 얼마만큼 놓여있는가를 보고 살림의 정도를 이해할 수 있었다는 말이다.

철이 늦게 든 것이 아니라 늦된 조선시대 백곡 김득신은 대기만성의 롤모델이다. 김득신의 비문 중에는 "재주가 남만 못하다 스스로 한계를 짓지도 마라. 나보다 어리석고 둔한 사람도 없겠지만 결국에는 이룸이 있었다. 모든 것은 힘쓰는 데 달려있을 따름이다." 라는 글이 있다고 한다.

승리의 조건,
실패의 교훈

자기계발서인 지그 지글라의 『정상에서 만납시다』라는 책을 보면 여러 번 나오는 삽화가 있다. 계단을 오르는 그림이다. 이 책의 방점이다. 이 책을 연상하게 하는 대회가 있다. 계단 오르기 대회다. 계단 오르기 대회는 특색있고 이색적인 대회라고 할 수 있다.

세계에서 가장 유명한 계단 오르기 대회는 뉴욕의 엠파이어스테이트빌딩을 오르는 경기라고 한다. 이 경기는 1층에서 86층 전망대까지 1,576개의 계단을 오르는 경기라고 한다.

우리나라에서 열리는 계단 오르기 대회는 '63빌딩'에서 열린다. 이 대회는 1층에서 60층까지 1,251개의 계단을 오르는 경기다.

계단 오르기 경기는 어떤 묘기를 연출하는 것이 아니다. 순위를 결정짓는 경기다. 이 때문에 걸어서 오르는 것이 아니다. 뛰는 경기라고 할 수 있다.

그래서 계단 오르기 대회에 우승은 뛰는 마라톤 선수들이 차지하지 않나 하는 생각을 할 수 있다. 물론 마라톤 선수들이 유리한 점도 있을 터이지만 꼭 그렇지만은 않는가 보다.

또 계단 오르기 대회는 높이 올라가는 경기라서 에베레스트 등을 등정하는 산악인이면 계단 오르기쯤이야 '누워서 떡 먹기'가 아니겠느냐라고 생각하기 십상일 것 같은데 이 또한 그렇지만은 아닌가 보다. 평소 어떻게 훈련해 몸에 어떻게 배느냐가 중요하다는 것이다.

여기에 연계하기 적격일 이야기가 있다. 30년 가까이 되는 이야기라고 한다. 나무를 잘 오르는게 다람쥐다. 설악산에는 '설악산 다람쥐'라고 별명이 붙은 이가 살고 있었다고 한다. 그는 설악산에 살면서 일과처럼 매일 산을 오르다 보니 산을 오르는 데는 이골이나 '설악산 다람쥐'가 됐다고 한다.

그는 우쭐하게 "험한 산도 쉽게 오르는데 그까짓 평지에서 뛰는 마라톤이야."라고 국내 유수한 마라톤 대회에서 참가했다고 한다. 결과는 도중 하차. 그는 설악산을 오를 때 다람쥐인 듯했지만 경험해보지 않은 마라톤에서 우승한다는 건 연목구어였다는 말이다.

'기고만장하게' 마라톤에 출전했던 '설악산 다람쥐' 마라톤에서 도중 하차한 뒤 설악산에서 자취를 감췄다는 말이 있다. 마라톤에 출전한 '설악산 다람쥐' 설악산을 오르는 데는 프로일지라도 마라톤에서 프로가 아니다. 프로도 실패를 경험하기 일쑤다.

빈센트 반 고흐는 화가로서 평생 동안 실패를 거듭했다고 할 수 있다. 그는 생전에 단 한 점의 그림만 팔렸다니 말이다. 그는 "실패를 거듭한다 해도, 일이 애초에 의도한 것과 다르게 돌아간다 해도, 다시 기운을 내고 용기를 내야 한다."고 했다고 하는 말처럼 지칠 줄 모르는 도전의 연속이었다고 할 수 있다.

"인생은 속도가 아니라 방향"이라는 톨스토이의 말마따나 '설악산의 다람쥐'가 마라톤에 출전하지 말고 '63빌딩 오르기 대회'에 출전했으면 어땠을까! 보이지 않는 '설악산 다람쥐'가 됐다는 게 조금은 아쉽다는 생각이 든다. 겸손의 미덕이 아쉽지만 많은 훈련하지 않았을 마라톤에 도전한 '설악산 다람쥐'의 용기에 박수를 한없이 보낸다.

"승리로 배우는 것은 적다. (그러나)패배하면 모든 것을 배울 수 있다." 전설로 전해져 오는 뉴욕 자이언츠 크리스티 매슈슨의 말을 덧댄다.

봄날 참새의 연주

봄날 조용한 아침나절이었다. 앞마당에 암수로 보이는 한 쌍의 참새가 날아들었다. "짹짹" 고요를 깼다.

마주하고 부리를 댔다 뗐다. 머리를 숙였다 들었다 오두방정, 수컷의 빠른 행동 안무가 진행됐다! 구애작전이다!

깃털을 세우고, 7㎝쯤 되는 날개를 엉거주춤 반쯤 펴 땅에 질질 끌었다. 엄살떨듯 파르르 파르르 꼭 열쭝이가 날려고 하지 않고 어미 새에게 먹이 달라고 보채는 것 같았다. 어린양(어리광) 같다. 아니 엄살이 더 가깝다. 축구라면 퇴장감이다. 맥락은 다를지라도 이건 분명히 오버액션이다.

날개를 더 폈다. 왼쪽 날개를 낮추고 오른쪽 날개를 높였다. 암컷을 원점 삼아 왼쪽 방향으로 한 바퀴 빙 도는가 싶더니 어느새 암컷 등에 업혔다. 눈 깜짝할 사이였다. 그야말로 "참새가 작아도 알을 잘 깐다."는 생각이 절로 났다.

암컷 등에 업힌 수컷은 치켜든 암컷의 약 5.5㎝ 꽁지가 다칠세라 조심스레 등에 제껴 눕히고 등에서 미끄러지지 않으려는 듯 양발 여덟 개의 발톱을 깃털에 고정했다.

파드닥 파드닥 불안정해 보였지만 나름대로 제깐의 자세는 완벽했을 터. 결국 미끄러지는 듯한 겨를 속에 수컷과 암컷 참새 한쌍 사전에 약속된 듯 지상에서 공중부양했다.

공중에 부양된 두 마리 자세가 뒤바뀌며 "엎치락뒤치락 어화둥둥 내 사랑"("짹짹"이라고 노래하고 공중회전하며) 공중으로 올라챘다. 용오름 타고 오르듯 말이다.

왁자지껄, 전쟁터 같았던 역사를 만들어가는 참새 세상의 마당. 아무 일 없었다는 듯 조용해졌다.

이윽고 닭도 돌아다니고 강아지도 나와 기지개를 켰다. 일상으로 돌아갔다. '백조의 호수'를 보는 것 같았다.

산사의 쇳물고기,
산소의 노래

산사의 처마에 매달려 살아가는 쇳물고기입니다. 쇳물고기들은 물을 먹고 살아가는 물고기와 다르게 공기를 먹고 삽니다. 그래서 먹고사는 요소가 산소라고 할 수 있습니다.

이 때문에 산소도 산소지만 미네랄이 중요하다고 할 수 있는 물, 중금속에 오염된 물속에 사는 물고기보다는 훨씬 자유롭습니다.

다만 황사나 스모그에는 속수무책입니다. 간과할 일이 아닙니다. 물속에서 사는 물고기보다 외려 생존에 취약하다고 할 수 있습니다. 황사나 스모그를 얕잡아 보는 경향이 있는 것 같습니다.

안개처럼 뿌옇게 끼는 스모그 무섭습니다. 스모그는 사람들에도 위협적입니다. 쇳물고기인들 무사하겠습니까. 1953년 영국 런던에서 발생한 스모그는 3주 동안에 호흡장애와 질식으로 4,000명이 사망하고 이후 만성질환으로 8,000명이 사망했다고 합니다.

스모그는 온실가스가 주범이라고 합니다. 덧붙입니다. 온실가스 배출은 지구 온난화를 불러와 쇳물고기도 안위를 위협받고 있습니다. 지구 온난화로 생태 변화가 일어 흰개미들의 개체수가 늘고 있습니다. 늘어나는 흰개미들이 목조 건물인 사찰의 기둥보, 도리 등을 갉아먹으니 걱정된다는 말입니다. 지금도 사각사각하는 소리가 들립니다. 흰개미들이 기둥, 보, 도리 등 목조를 갉는 소리가 틀림없는 것으로 유추합니다. 구물구물한 흰개미들 옴나위가 없을 것입니다.

말이 줌앞줌뒤가 돼버렸습니다. 제자리를 찾으니 스모그가 걱정됩니다. 하지만 걱정 없습니다. 가득한 피톤치드가 바람과 협력해 말끔히 씻어내니 참말로 기우에 지나지 않은 것 같습니다.

피톤치드와 바람이 일어 스모그를 씻어낼 때면 뭉게구름이 둥둥 떠다니듯 기분이 좋아집니다. 이때면 쉿물고기들이 고즈넉한 소리를 냅니다. 씻겨지는 소리입니다. 이럴 때면 이때다 싶어 사람들이 우리들의 소리가 '아름답다'고 녹취합니다. 사진도 찍습니다. 이럴 때마다 갇힌 틀 속에서 하릴없이 수은 등 중금속에 오염된 물을 마시며 헉헉대는 들숨날숨 하는 물고기들이 안타깝다는 생각을 다시금해 봅니다. 산사에서 우리만 호사스러운 것 같아서입니다.

사람이 살아가는데 어떤 것 못지않은 요소가 산소입니다. 산소는 청량음료처럼 상품화되고 있습니다. 공기청정기도 이에 준합니다.

그러나 없어서는 안 되는 산소지만 적당량이 유지돼야 한다고 합니다. 예를 들면 공기 중의 산소 농도가 18% 미만이면 산소 결핍 현상으로 문제가 되고 이보다 더 수치가 낮아져 10% 미만이면

의식을 잃고 수분 내에 목숨을 잃는다는 것입니다.

산소는 적정 수치를 유지해야 하는 혈압과 같습니다. 산소는 만인의 혈압입니다.

사람들은 질식사고로 목숨을 잃기도 합니다. 질식사고는 지하 저수조, 아파트나 빌딩 등의 물탱크, 하수구 등의 지하 맨홀 내부 밀폐된 공간에서 작업 중 발생한다고 합니다. 이러한 사고는 유해 가스 등으로 인명피해가 발생하기도 하지만 산소 결핍에 의한 인명 피해가 발생한다고 합니다.

지구상에는 산소 결핍을 초래할 위험요소들이 무진장 산재해 있습니다. 핵무기, 화학무기, 원자력발전소 등이 산소 결핍을 초래할 위험요소라고 할 수 있습니다.

후쿠시마 원전 폭발사고를 생각해 볼 필요가 있습니다. 이 원전이 폭발해 직접적 피해를 준 물질은 방사능입니다. 방사능에 의해 산소가 무력하게 된 것입니다! 이 때문에 산소 결핍으로 봐도 될 듯합니다.

보잘것없는 쇳물고기, 적정 수치의 산소량 확보를 위해 쇳소리를 낼 것입니다. 연미지액을 막기 위해 수천 년 수만 년 쉼 없이 쇳소리를 낼 것입니다. 아니 쇳소리라고 하니 왠지 부조화되는 기분입니다. 딱딱한 어감이라는 말입니다. 수양버들처럼 너울너울 유연하고 부드러워 보이지 않습니다.

이 때문에 "쇳소리를 낼 것입니다."를 "고즈넉한 소리를 낼 것입니다."라고 정정합니다. 이는 수천 년 수만 년 지구를 위해 특히 사람들의 안녕을 위해 기원한다는 의미를 담고 있습니다. 저는 산사 처마 밑에 있는 물고기 풍경입니다.

유기농 밥도둑

매년 이른 봄부터 마당 한 편의 모퉁이에 상추가 독차지하곤 하는 자투리땅이 있었다. 손바닥(서너 평)만 한 땅으로 집과 헛간의 구조적 관계로 소쿠리 모양으로 돼 있었다.

이곳에 이른 봄이면 어김없이 상추 씨앗이 뿌려졌다. 아주 잘 자랐었다. 이곳에서 길렀던 상추가 잘 자랐던 것은 샘과 가까워 아침 저녁으로 물을 흠뻑 뿌려 준 게 까닭일 수 있지만 재와 두엄 등을 황토가 흑갈색이 될 정도로 거름을 풍족히 즉 두엄과 재로 기름 반 흙 반이 되게 했던 게 주요 원인 같다.

이렇게 길러졌던 상추는 직석 상추랄까! 막 뜯어 밥상에 올려졌다. 뜯긴 부분에 쌀뜨물처럼 하얗게 진이 맺혔다. 씀바귀 등이 그렇듯 말이다.

쌉싸래한 상추는 입맛을 당기게 했다. 포갠 두세 잎의 상추에 밥 한 숟가락 올려놓고 쌈장이나 된장, 고추장 등을 가운데 놓고 두 손으로 왕만두 싸듯 감싸 입안에 밀어 넣었다 양 볼때기가 미어터지게 말이다. 몇 번 씹으면 숟가락으로 비빔밥을 비빈 듯 믹스가 돼 '입 안의 비빔밥'이었다. 특별한 반찬이 필요 없었다. 그야말로 양념에 따라 다양한 메뉴요, 다양한 '입 안의 비빔밥'이었다.

상추쌈은 밥도둑이었다. 별 반찬 없이도 밥 한 그릇쯤이야 게 눈 감추듯 뚝딱할 수 있었으니 말이다. 상추를 먹으면 소화가 잘 돼 시장기가 쉽게 든다는 말이 있었다. 허기진 시대에 상추 자체가 밥도둑이었다는 생각이 든다.

공동주택에서 사는 나는 베란다에 상추 등을 기르고 있다. 크기가 가로, 세로, 높이가 각 35㎝, 50㎝, 20㎝ 크기의 스티로폼 박스 두 개에 상추, 쑥갓 등을 기른다.

며칠 걸러 솎아내고 잎을 뜯어내 상추쌈으로 먹고 있다. 흙을 담아 상추 등을 기르는 이 스티로폼 꼭 상추가 길러졌던 시골의 자투리땅 같다는 생각을 한다. 재와 두엄 등을 거름으로 시골의 자투리땅에서 길렀던 상추가 유기농 재배였다면 지금 베란다에서 기르는 상추 등도 유기농 재배와 별반 차이가 없어서다.

재와 두엄 등을 거름으로 주지 않아도 음식 찌꺼기 등을 발효시켜 상추를 기르는 이 스티로폼에는 유기농법에서 볼 수 있는 현상들이 있다. 두더지, 땅강아지, 굼벵이 등은 없지만 흙 속에 지렁이 등이 있다. 상추나 스티로폼 가장자리 등에는 달팽이가 새끼까지 쳐 큰 것 작은 것 수두룩하다. 시나브로 움직이는 둥 마는 둥 하는 달팽이. 그래도 한참 뒤에는 포지션이 바뀌어 있기도 하다. 미생물도 가득할 것이다.

시골에 있던 자투리땅을 그대로 옮겨 놓은 것 같은 생각이 든다.

도심 속의 청정지역이라는 생각을 한다. 적어도 1960년대를 보는 것 같다. 기분이 좋다.

직면하는 선택과 책임

"상대편 운전자는 잔뜩 인상을 쓰더니 대뜸 웃통부터 벗었다. 아니 다짜고짜 길에서 이러면 날더러 얼굴이 홧홧 달아올라. 나도 예의상 단추라도 풀어야지 싶었다."

강연호의 「접촉사고」에서 중간쯤에 나오는 글이다.

교차로였다. 기계적 신호에 따라 직진하고 있었다. 내 앞에서 신호를 기다리던 두 대의 차는 직진해 이미 교차로를 벗어났고 뒤따르던 나도 막 교차로를 벗어날 즈음이었다.

둔탁한 소리가 났다. 1차선에서 좌회전해야 할 차가 좌측 옆면을 들이받은 것이다. 1차선에서 직진하리라는 것은 전혀 예상하지 못한 나는 추돌할 때 우둔할 수밖에 없었다.

둔탁한 소리에 이게 '무슨 소리야?' 생각하는 찰나 접촉사고라는 것을 그제야 인지하고 멈출 수 있었다. 하지만 나는 워낙 부지불식 간에 발생한 일이라 하릴 없었다. 즉시 정지시키기는 어려웠다는 말이다.

"이게 뭐야?" 하는 사이 바퀴가 몇 번 회전했던 것 같다. 차를 세우고 운전석에서 내렸다. 나보다 운전석에서 먼저 내린 운전자가 앞쪽으로 다가오며 "아저씨 운전 똑바로 하세요."라며 "이게 뭐예요" 고함을 질러댔다. 30대 중반은 넘어 보이는 여성 운전자였다.

접촉사고가 발생했을 때 더러 교통의 흐름은 대수롭지 않다는 듯 차는 그대로 두고 목청 높여 싸우는 것을 볼 때면 곱지 않게 봐왔던 나였다. 내가 그 꼴이라는 생각이 들었다. 목청 높여 싸우는 것은 아니어도 그 차이는 오십보백보 이런 경험을 하는 것은 처음 있는 일이었다.

운전석에서 내리자마자 나는 어이없기도 하고 당혹스러웠다. 일방적인 상대방의 공격이랄까 고함이 멎었다. 내게 말할 기회가 왔다. 손으로 가리키며 입을 열었다.

"이곳은 1차선에서 좌회전만 할 수 있지 직진은 할 수 없는 곳입니다."라고 말했다. 내 말에 그녀의 고함은 오히려 한 옥타브 올라갔다. 도화선 아닌 도화선 같았다. "아저씨 무슨 말이에요. 직진 신호에 1차선에서 좌회전과 직진을 동시에 할 수 있는 곳인데 무슨 말이에요."라고 하는 순 억지이자 생떼였다.

도로 1차선의 아스팔트 위에는 선명히 "직진× 화살표, 좌회전 화살표"이라고 흰색으로 표시가 돼 있었다. 좌회전만 허용하고 직진은 안 된다는 표시이다.

큰소리친다고 해결되는 것도 아니고 속된 말로 목소리 큰 놈이 이기는 것도 아니라는 생각이 다시금 들었다. 고함지르는 그녀에 큰소리치지 말고 경찰에 신고하고 보험사에 알려 해결하라고 말했다.

상대방이 신고해 출동한 것으로 보이는 경찰차가 도착했다. 나는 보험사에만 접촉사고를 접수한 상태였다. 경찰이 상대방 차량의 네 바퀴 밑 아스팔트에 백색 스프레이로 표시를 했다. 내 차가 서있는 네 바퀴 아래에는 표시를 하지 않았다. 차가 접촉된 후 움직였다는 것이다.

보험회사에서 나와 원만히 해결되지 않으면 경찰서에 와 신고하면 된다고 말한 경찰이 순찰차를 타고 떠났다. 경찰이 "차를 움직였죠"라고 접촉 당시 즉시 정지하지 못한 내게 말했다. 순간 나는 조금은 당혹스러웠다. 유불리가 떠올랐다. 내 차와 상대방 차량의 보험회사 직원이 약간의 시차를 두고 도착했다. 약간의 시차일 뿐 마치 약속이라도 한 것인 양 그 시차는 크지 않았다.

내가 접촉사고 경위를 접수한 토대로 접촉사고 경위를 알고 있을 터 같은 보험회사 직원이 사고 경위를 물었다.

"직진하기 위해 2차선에서 신호를 기다리다 신호가 떨어져 교차로를 통과하기 직전이었다. 1차선에서 직진하는 차로 말미암아 접촉이 있었다."고 말했다.

두 보험사 직원끼리 길지 않은 대화가 있었다 흔히 '몇 대 몇'이라는 즉 어느 차의 과실이 얼마라는 말이 오갔던 것 같다. 두 보험사 두 직원의 말 몇 마디 정도의 짧은 대화는 한쪽의 일방적 과실이라는 것을 생각할 수 있다.

내 차가 속해 있는 보험사 직원이 내게로 다가와 "차 수리를 어떻게 할 겁니까?"라고 물었다. "원칙대로 처리해 달라."며 "보험으로 처리하든지 알아서 처리해 달라."고 원론적인 말을 했다.

이렇게 말한 것은 솔직히 말하면 이렇다. 찌그러진 것도 아니고 페인트만 조금 벗겨진 정도, 생채기가 난 상태에서 유야무야 넌지시 넘어갈 수도 있었다. 한마디로 상대방의 태도 때문이었다.

보험회사 직원이 합의를 원하는 것 같았다. 과실이 거의 상대방에 있어 상대방에게 수리를 청구하면 된다고 말했다.

다소 괘씸한 생각이 들었지만 수리를 요구하지 않았다. 보험회사 직원이 원활하고 원만히 처리하려고 하는 의견에 따라 접촉사건은 종료됐다. 보험사 직원은 '판사(해결사)'였다. 조정자였다. 책임보험은 의무적으로 가입해야 하는 것이지만 꼭 필요하다는 것을 다시금 느끼게 한다.

유월답지 않게 더웠다. 보험회사 직원이 도착하기 전 지루한 느낌이 들었다. 상대방 운전자가 인도에 서있었다. 그녀 역시 지루하기는 매한가지였을 것이다.

다가가 "바쁘지는 않으세요."라고 인사치레했다. 돌아온 대답은

"바빠요." 퉁명스럽기가 짝이 없었다. 벌레 씹은 표정이었다.

내가 꼭 죄인 아닌 죄인 취급받는 것 같았다. 설사 내가 100% 과실이 있었다고 해도 내게 돌아온 그 같은 뾰로통한 표정은 '아니다'고 싶었다.

접촉사고 해결이 종료되고 두 보험사 직원들이 현장을 떠난 뒤였다.

상대방 운전자가 두 무릎을 가지런히 세운 앉은 자세로 자신의 차량, 백미러 등 긁힌 부분을 짚어가며 만지고 있었다. 내 차에 비교해 상대방 차량의 피해가 컸다. 도료가 벗겨지고 움푹이 찌그러진 데도 있었다.

수리비를 받으려고 했다가 줌앞줌뒤가 돼 혹 떼려다 혹 붙이는 격이랄까 아쉽다는 생각에서 못내 아쉬워하며 애마(승용차)의 생채기를 만지는 것 같았다.

그에게 다가가 어찌 됐든 "미안합니다."며 "안녕히 가세요."라는 말을 하고 싶었지만 차마 하지 못했다. 다시 내게 돌아올지도 모르는 퉁명스러운 대답이 걱정스러워서였다.

하지만 분명한 것은, 얻은 것이라면 나의 오지랖이 부족하다는 것을 깨달았다는 것이다. 평소 다른 것은 차치하더라도 인사말은 확실히 해야 한다는 신념을 스스로 무너뜨리는 결과였다.

이 접촉사고를 마무리하는 동안 한 청과물 점포의 정면에 주차를 했었다. 이 때문에 이 점포에 오는 손님들이 잠시 세워 놓아야 할 주차 문제로 어려움을 겪는 것을 목격하곤 했었다. 하지만 "죄송합니다."라고 말 한마디 않고 있었다. 고작 그 자리를 떠날 무렵에서야 아주머니 아저씨에게 "본의 아니게 죄송합니다."라며 "토마토 한 무더기 주세요."라고 말했다. 부부가 경영하는 것으로 보였다.

참외, 토마토 등이 무더기로 있었다. 각각의 무더기에는 검정 매직으로 큼지막하게 쓴 가격표가 있었다. 모범적 정찰제라는 생각이 들었다.

무더기에 있는 가격표는 3,000원, 5,000원 두 가지가 있었다. 만원짜리 지폐 한 장을 건네주면서(5,000원 무더기를 가리켰다) "토마토 한 무더기 주세요."라고 했던 것이다. 검정 비밀봉지에 담은 한 무더기의 토마토와 5,000원 지폐 한 장을 우수리로 받았다.

불과 몇 초 뒤였다. 이때까지만 해도 느끼지 못한 알량하다는 생각이 들었다. 뒤통수가 부끄러웠다. 눈이 앞에 있어 망정이지 뒤에 또 있었다면 어쨌겠나 싶었다. 눈을 뜰 수가 없었을 거라는 말이다. "죄송합니다."라고 응당해야 할 말이었지만 되레 부끄러웠고 수사에 불과하다는 생각이 들었다.

토마토 값으로 만원짜리를 낸 나는 적어도 우수리 5,000원은 받지 않았어야 하는 행동이었다. 좁쌀 같은 행동이었다.

'돈을 쓸 줄 알아야 한다.'는 말이 있다. '개같이 벌어 정승같이 쓰라.'는 말이 있다. 이럴 때 대입되는 말일 듯하다. 중언부언한다. 참말이지 내가 한 행동은 돈을 쓸 줄 모르는 행동이었다. 집착 때문에 빚어지는 오지랖이 좁은 행동거지였지 않나 싶다.

불과 몇천 원을 잘 쓰지 못한 나는 지인으로부터 카카오톡을 받고 보낸 말이 생각났다. "'돈의 노예라고 하는 인간의 삶. 돈을 거지도 다 못 쓰고 죽는다.'는 말이 언뜻 떠오릅니다. 종종 전송하시는 좋은 글의 뜻을 깊다랗게 읽습니다."라고 답했었다. 집착을 버리라, 비워라, 베풀어라 등의 성인들 말씀 같은 글을 카카오톡으로 받고 답한 것이다.

시멘트 바닥의 잡초 '개미'

잿빛, '죽음의 도시'로 만드는 주범이 시멘트라고 한다. 시멘트는 우리가 발 딛는 곳(도시)이라면 어느 곳이든 가죽 씌우듯 덧입혀 지표면을 방수 처리 하는 꼴이다.

한 건물 밖이었다. 개미(자라고 있는 이름 모를 한 잡초의 퍼져나간 전체의 모양새가 머리, 허리, 몸통으로 3등분 돼 개미 같아서 '개미'라고 한 것이다.)가 자라고 있었다. 흙이 아닌 콘크리트로 된 표면에서 자라고 있었다는 말이다.

고목이나 바위 등에서 기생하는 석골풀이라는 생각이 들었다. 시멘트 바닥에서 자라고 있었으니 기생이라고 할 수 있을 것 같다.

석곡이라고도 하는 석골풀은 관상용으로 가꾸기도 하는데 개미는 기생하고 있는 것 외에도 석골풀과 아주 흡사했다. 대부분의 잡초의 줄기가 마디로 돼 있는 것이지만 개미의 줄기가 마디로 돼 있었고 잎 모양새며 꽃 색깔이 사촌이라고 할 수 있을 만큼 닮았다. 줄기의 마디에서 뿌리가 돋는다는 것도 똑같았다. 다만 석골풀보다 잎이 작고 줄기도 가늘고 왜소했다. 상이한 점이 없었던 것은 아니었다. 석골풀보다 꽃 크기가 비교가 안 될 만큼 작았고 꽃 모양새도 달랐다. 개미는 누가 개미 아니랄까 바닥을 기듯 시멘트 바닥을 따라 옆으로 자라고 있었다.

개미가 자라고 있었던 곳은 온통 콘크리트화 돼 있었다. 건물 뒤쪽의 약간의 화단을 빼고는 콘크리트로 돼 있다는 말이다.

그런데도 개미가 꽃을 피우고 씨앗을 맺게 하기도 했다. 개미가 자라는 곳이 식물로서 최소한의 극미한 충족 요건이라면 콘크리트 바닥에 나 있는 가느다란 금이 전부였다. 식물은 광합성에 의해 자란다고 한다. 참으로 광합성이 문제일 것이라는 생각이 들었다.

'잡초 같은 인생'이라고 하는 말이 있을 만큼 척박하고 열악한 환경에서도 잘 자라는 잡초의 특성이지만 더욱이 올해는 봄부터 가뭄이 지속된 해였다. 그런데도 불구하고 사진이 증명하듯 꽃이 피고 씨앗을 맺는 등 놀라운 생명력에 감탄했다. 이건 신기함이 아니었다. 개미의 생명력에 대한 신비였다.

"우리는 돈이 없었고, 기술을 잘 몰랐으며 심지어 계획도 없었습니다." 비전성과는 거리가 멀다고 할 수 있는 이 말은 2014년 블룸버그 통신에 의해 올해 중국 최고의 부자로 선정된 알리바바 그룹의 마윈 회장의 말이라고 한다.

가난한 집에서 태어난 마윈은 출장을 간 미국에서 인터넷을 경험했고 이때 인터넷의 무한한 잠재력을 직감했다고 한다. 그는 미국을 출장한 그해 '알리바바'라는 아주 작은 '온라인 구멍가게'를 설립한 게 급성장해 갑부가 된 사람이라고 한다.

"포기하는 것이 가장 큰 실패"라고 말한다는 마윈은 "오늘은 잔인하고 내일은 오늘보다 더 힘들 것이다. 하지만 모레는 아름다울 것이다."라고 말했다고 한다.

언제부턴가 어미에 붙는 부정적인 것을 긍정적으로 생각해 보곤 한다. '메소드 연기' 때문이다. 메소드 연기라는 것은 예를 들면 하는 척하는 것이라고도 할 수 있을 것 같은데 배우들이 연기할 때 그 배역의 생각 등 감정에 흡입돼 그 배역의 진실한 감정 표현이 드러나는 것을 말한다고 한다. 진짜는 아니지만 진짜가 된다는 말이다.

'웃으면 복이 온다.'는 말이 있는데 사람은 덜 웃으면 그만큼 덜 행복하고 덜 찡그리면 그만큼 덜 불행하다는 말이 있다.

서민경제가 침체돼 버거워하는 사람들이 많다. 보이지 않는 침체의 긴 터널에 서광이 비치면 좋겠다.

철학자 이정우는 "A나 B가 아니라 A에서 B로 넘어가는 순간. 이 순간 속에서 나타났다가 사라지는 것이 바로 우리 삶에서 중요한 의미를 담고 있는 사건"이라고 말했다고 한다. '고생 끝에 낙이 온다.'는 말이 있는데 고생 끝의 낙이 중요한 의미의 사건이지 않나 싶다.

수궁가를 보면 용궁에서 빠져나온 토끼의 앞날이 태평하고 거침 없을 것으로 보이지만 덫에 걸리고 독수리에 잡히고 그야말로 '산 넘어 산'이다. 수궁에서 빠져나오기 이 전의 신세와 진배없다. 하지만 지혜를 모아 슬기롭게 대처해 빠져나왔다. 비전을 준비하자. 머리로 사는 게 사람이다. 다시 뜨는 게 해다. 다시 뜨는 해 그 안에는 꿈과 희망이 있다.

시멘트 바닥의 실금 같은 틈새에 의지해 힘겹게 살아가는 이름 모를 잡초 '개미'의 모습이 오버랩 된다.

한 마디, 한 몸

중국 춘추시대의 유학자 증자, 조선시대 성종의 4대손인 이경검, 고구려 25대 왕인 평원왕은 공통점이 있다. 증자는 부인이 어린 아들에 한 말을 실천한 것이지만 어린 자녀에 한 말을 실천한 사람들이다.

유학자 증자는 어린 아들이 장에 가는 어머니를 따라가겠다고 떼를 쓰자 어린 아들에 "얌전히 기다리면 다녀와서 돼지를 잡아 요리해 주겠다."고 어린 아들을 달래는 부인의 말을 들었다.

증자는 부인이 장에 간 사이 돼지를 잡고 있었다. 장에서 돌아온 부인이 어이없다는 듯 "그냥 해본 말인데 돼지를 잡으면 어떻게 하느냐." 따졌다. 이에 아랑곳하지 않은 증자는 "자식에게 속임수를 가르쳐선 안 된다."고 말했다고 한다.

왕족이자 문신인 이경검은 임진왜란의 공신으로, 그는 임진왜란으로 파손된 집을 고치면서 애지중지했던 어린 딸을 업고 다니며 관리 감독 했다고 한다. 이경검은 어느 날 등에 업힌 어린 딸에게 "수리를 마치면 이 집을 주겠다."고 말했다고 한다.

농담 삼아 한 말이었지만 곧이곧대로 이해할 수밖에 없는 어린 딸(효숙)은 '집수리를 하면 내 집'이라고 아버지가 한 말을 자랑하고 다녔다고 한다.

비록 어린 딸에 무심코 한 말이지만 이경검은 문서화해 아홉 살짜리 딸에게 25칸짜리 대저택을 물려 주었다고 한다. 이경검은 "어린 딸에게 집을 주겠다고 한 것이 실언이었지만 한번 뱉은 말은 지켜야 한다."고 했다고 한다.

고구려 평원왕은 30년간 재위한 왕으로서 어려운 나라의 기강을 바로 서게 하고 문명의 번영을 이룬 왕으로 알려져 있다. 평원왕에게는 자식들이 여럿 있었다고 한다. 유명한 평강 공주가 그의 딸이다.

평원왕은 잘 우는 어린 딸 평강 공주를 농담 삼아 자주 놀렸다고 한다. 네가 울기를 잘해 걱정된다며 어디 좋은 데로 시집갈 수 있겠느냐 "바보 온달에게 시집보내야겠다."고 입버릇처럼 말했다고 한다.

온달은 집안이 가난해 밥을 빌어다 눈먼 어머니를 봉양해야 하는 처지였다. 가난에 찌든 온달은 남루한 차림새와 볼품없는 생김새 그리고 바보스러운 행동 때문에 바보 온달로 취급당한 사람이다. 평양에서 바보 온달로 널리 알려진 사람이다.

평강 공주가 나이가 차 결혼할 나이가 됐다. 평원왕이 평강 공주를 시집보내려 했다. 평원왕이 점찍어둔 사윗감은 명문가 집안의 아들.

"바보 온달에 시집보내겠다."는 말을 수없이 듣고 자란 평강 공주가 "항상 '바보 온달에게 시집보내겠다'고 하시지 않았습니까?" "대왕께서 거짓말을 하시면 누가 왕명을 따르겠습니까. 저는 온달에게 시집을 가겠습니다."라고 말했다고 한다.

평원왕은 왕명을 어긴 딸이지만 자신이 평소 했던 말 때문에 평강 공주의 뜻을 꺾을 수는 없었다. 평원왕은 용인했다. "네 마음대로 네가 가고 싶은 데로 가거라."라고 말이다.

바보 온달과 결혼한 평강 공주는 남편에게 글과 무예를 익히도록 해 훌륭한 장군이 되게 했다. 그가 온달 장군이다.

'말이 신용'이라는 말이 있다. 선거 때면 정치인들이 내뱉는 선거공약(公約)이 쏟아진다. 당선되면 무엇을 어떻게 하겠다는 약속이다. 하지만 공약이 헛된 공약(空約)으로 되기 일쑤이다.

많은 국민들이 정치인을 불신한다. 여론조사를 보면 국민은 물론이려니와 경제인도 정치인을 못 믿겠다고 하는 모양이다. 맞물려 돌아가야 할 톱니바퀴처럼 유기적이어야 할 정치인과 경제인. 경제인조차도 정치인을 못 믿겠다는 판국이다. 신용이라는 말을 다시금 생각하게 한다.

사람이 살아가는 데는 크든 작든 욕 안 먹고 살아갈 수는 없을 것이다. 그렇다면 이 세상에서 가장 큰 욕 먹는 일이 무엇일까. 그건 "줬다 뺏는 것"이라고 한다. 공약하고 공약이 되게 해 버리는 것 줬다 뺏는 것이라고 생각해 본다. 중언하면 공약(公約)은 주는 것이고 공약(空約)은 뺏는 것이라고 말이다.

주었다가 뺏는 것 세 살 먹은 아이나 하는 것이다. 줬다 뺏는 아이에 "줬다 뺏으면 엉덩이에 뿔 난다."고 놀리는 사람들이 어른이다. 증자, 이경검, 평원왕 우리 모두의 롤모델이어야 한다.

열정의 연대기

엘리자베스 여왕 1세 '처녀왕'으로 유명하다. 그는 정쟁에 참여하기도 하고 "과인은 나라와 결혼했다."는 그의 말처럼 나라를 사랑하는 국가관이 대단한 것 같다.

엘리자베스 여왕 2세는 소녀 시절 왕인 아버지와 2차 세계대전 때 전쟁에 참여했다고 한다.

1982년, 포클랜드전쟁(영국과 아르헨티나 전쟁)에는 에드워드 왕자(찰스 황태자 동생)가 헬기 조종사로 참전해 부상을 당했다. 엘리자베스 여왕 2세의 아들이다.

엘리자베스 2세 여왕의 손자인 해리 왕자도 사관학교를 졸업하고 아프칸 전투에 참여했다.

그뿐만 아니라 영국 왕실은 왕위 서열과는 거리가 먼 왕자, 공주들도 같은 로얄패밀리로서 의무와 역할의 활동을 모범적으로 수행한다고 한다.

이러한 영국 왕실의 모범적 노블레스 오블리주(지도층의 사회적 도덕적 책무)는 국민들로 존경받는 바로미터의 기저라고 한다.

2014년이다. "대한민국과 결혼했다."고 하는 '처녀 대통령' 박근혜 대통령이 "적폐" 척결을 강조할 만큼 부패하고 노블레스 오블리주가 해이한 대한민국에 신선한 바람이 인다. 영국의 왕실을 보는 것 같다.

노태우 대통령 외손녀(SK 최태원 회장의 딸)의 해군사관학교 지원이 그것이다. 왕조시대 같으면 노태우 전 대통령의 외손녀가 공주와 버금할 것이다. 지금 사회의 계층적으로 봐도 '공주'라고 해도 과언은 아닐 듯하다.

그런 그가 해군사관학교를 지원한 것을 보면서 나는 이순신 장군이 떠올랐다. 타임머신을 타고서 수백 년 전 임진왜란 때의 이순신 장군을 보는 것 같은 기분이다. 신데렐라를 보는 것 같다. 구원의 신을 보는 것 같기도 하다.

이순신 장군은 풍전등화였던 나라를 구해냈다. 하지만 일본에 국권을 빼앗긴 일제강점기 이후 힘들게 해방을 맞지만 한반도는 남북으로 갈라졌다. 더구나 대한민국 남한은 동서로 나눠져 화합하지 못하고 있다. 이념 갈등이 곳곳에 남아있다.

우리나라는 프랑스나 독일과는 다르다. 프랑스나 독일이 설사 좌우파로 갈라져 이념의 갈등을 빚는다고 해도 별문제는 없을 것이다. 그들 나라는 분단돼 있지 않다. 독일은 한때 분단국가였지만 말이다. 전쟁에 노출돼 있지 않다는 말이다. 한반도를 두고 각축을 벌였던 100여 년 전을 보는 것 같다고 식자들이 지적한다.

노태우 대통령의 딸이자 노태우 대통령의 외손녀인 최민정의 어머니인 노소영 씨가 "군인의 딸로서 감사하고 기쁘다."고 말했다고 한다. 한편 많은 사람들이 최민정을 가리켜 "외할아버지 군인

DNA를 물려받은 것 같다."고 말한다.

그가 나타나 행복하다는 생각이 든다. 미래가 담보된다는 생각이 든다. 그의 조부 최종현의 화장장 유언은 매장문화에 뿌리 깊은 장묘문화를 변화하게 했다. 관습을 바뀌게 한 화장장이 80%에 이른다고 한다.

최민정은 아마도 독특한 유전자를 가진 것 같다. 나라를 수호한 선열들의 나라를 사랑하는 유전자 외할아버지의 유전자, 조부의 유전자를 말이다. 최민정을 보면서 그는 노블레스 오블리주 해이의 처방전이자 치유제 같다는 생각을 해본다.

최민정의 해군사관학교 지원이 중병을 앓고 있는 노블레스 오블리주에 청량제가 됐으면 좋겠다.

해군사관학교 하면 제정된 하얀색의 제복이다. 천사를 떠오르게 한다. 팅커벨이 떠오른다. 요정 말이다. 하얀 제복을 입은 최민정이, 금빛 가루를 뿌려 새로운 세상이 되게 해 훨훨 날 수 있게 한 요정 팅커벨 같은 신데렐라가 됐으면 좋겠다. 온 누리에 평온이 깃들게 말이다.

무기 없는 경제전쟁

國, 나라 국자를 보면 창으로 지키는 형국이다. 지금의 전쟁은 미사일 전쟁이라 할 수 있지만 무기가 발달되기 전의 전쟁에 사용하는 주요 무기의 효시를 창이라고 할 수 있을 것이다. 현대 전쟁에서 핵심이 되는 미사일도 창이라고 볼 수 있을 것 같다.

전쟁(戰争)의 싸울 전자를 보면 창 과(戈)자가 있다. 전쟁이라는 것은 창으로 싸운다는 것을 의미하는 것 같다.

전쟁은 해서는 안 되는 것이지만 현실은 그렇지 않다. 비일비재하다는 말이다. 전쟁이라는 것은 고금을 막론하고 무서운 것이다. 창이라는 것은 무서운 것이라는 말이 될 것 같다.

한 개의 창 과(戈)자가 있는 전쟁도 무서운데 두 개의 창 과(戈)자가 있는 글자는 얼마나 무서울까. 두 개의 창 과(戈)자가 있는 자는 상할 잔(戔)자와 돈 전(錢)자이다. 그렇다면 우리가 사용하는 돈이 그렇게 무섭다는 말인가.

국경 없는 전쟁을 '경제전쟁'을 말한다. 무력 없는 돈 전쟁이라는 말이다. 무력의 전쟁은 당사국 또는 연합군의 지원을 받아 무기로 하는 것이지만 경제전쟁은 무기 없이 지구상의 전체 나라와 하는 전쟁이라 할 수 있을 것 같으니 전자의 경제전쟁이야말로 무섭기가 짝이 없다는 생각이 든다.

경제전쟁은 범 글로벌적인 것뿐만 아니라 좁게는 개인 간의 경쟁도 정점을 찍는 것 같다. 윤리도덕에 유교사상의 절대적인 영향을 받는 우리나라가 '신(新)삼강오륜'이 소개되고 있다.

"재무적인 준비는 빠를수록 좋고, 건강관리는 평생동안 해야하고, 가족과 즐거운 시간을 보내라."는 삼강과 "안정감, 일거리, 취미, 친구, 집"이 충족돼야 한다는 오륜 말이다. 무서운 경제전쟁이 삼강오륜마저 바꿔 놓는다는 생각이 든다.

노력은 성공과 정비례한다는 말이 있다. 노력은 펌푸질이다. 마중물을부터 펌푸질을 해야 한다. 물이 품어져 올라오도록 말이다.

캐나다의 정신분석학자 대릴 샤프는『융, 중년을 말하다』에서 "근본적인 해결책은 오로지 고통스러운 자기 탐색 과정에서 나온다."며 "고통을 해결하기 위해선 기꺼이 무언가를 해야만 한다."고 했다고 한다. 펌프질을 말하는 것 같다. 댓바람인 삶, 멈출 수는 없다. 이게 경제전쟁과 싸워 승리하는 길이다.

보이지 않는 시간의 가치

"시간 가는 줄을 아는 사람이 성공한다."는 말을 가끔 한다. 늦둥이에게서 "멋있는 말"이라는 말을 듣기도 했다.

시계는 우리들에 시각을 알려준다. 시각을 알려주는 시계를 보고 있노라면 시간 가는 줄 모르게 바늘이 움직이는 것 같다. 이건 시각을 알리기 위한 기계적 작동일 뿐이다.

"당신은 시간이 흘러간다는 것을 어떻게 확신할 수 있는가? 만약 시간이 흘러간다고 하면 그것이 똑같은 간격으로 흘러간다는 것을 어떻게 확신할 수 있는가?"라고 한다는 철학자들의 의문이 있는 시간. 시간은 보이지 않는다. 시간은 소리 나지도 않는다. 이러한 시간을 우리가 어떻게 이용해야 하는가를 생각하게 하는 광고가 있었다.

삼성생명의 '가족시간 계산기'라는 광고이다.

'잠자는 시간, 일하는 시간 이것저것을 빼면 사람이 100년을 산다고 해도 40년밖에 못 산다.'는 '사철가'가 생각이 나는데 '가족시간 계산기'라는 광고를 보면 30대라도 남은 시간이 5개월 밖에 안 남았다는 광고이다.

다시 말하면 사철가가 '이것저것 제외하면 인생이 40년'이라고 계산하듯 '가족시간 계산기'의 계산도 출퇴근하는 시간, 일하는 시간, 친구를 만나고, 술 먹는 시간 등을 계산하면 가족과 함께하는 시간은 아주 얼마 안 된다는 말이다.

구소련의 곤충 분류학자였던 알렉산드로비치 류비셰프는 자신이 사용한 시간을 분 단위로 기록해 만든 '시간 통계 노트'가 있었다고 한다. 그런데 말이다. 요즘은 휴대전화, 애플리케이션 등으로 자신이 방금 사용한 시간이 자신의 꿈, 즐거움, 사랑 가운데 어디에 속하는가를 알려주는 것도 있다고 한다.

이건 보이지 않는 시간, 소리 나지 않는 무색무취의 시간이 유색유취화된 것 같다. 즉 무형이 유형화된 것 같다는 말이다. "시간 가는 줄을 아는 사람이 성공한다."는 말이 무색해졌다는 생각이 든다. 시간 가는 줄을 아는 사람이 늘어날 것 같다는 말이다.

가족식사, 함께하는 힘

내가 자랄 때는 온 가족이 옹기종기 한데 모여 아침 식사와 저녁 식사를 함께했다. 식사를 할 때는 할아버지, 할머니가 먼저 수저를 들고 식사를 시작한 뒤에 식사를 하는 시대였다. '밥상머리 교육'이고 품행의 시발점이었듯 하다.

농경사회에서 산업사회로 급격히 발전하면서 우리 사회는 정치, 경제, 사회, 문화 등을 망라하여 송두리째 변화하면서 식생활 문화도 예외일 수 없이 변화해 온 가족이 함께 식사를 하는 경우는 드물어졌다.

미국의 한 대학의 연구에 따르면 "온 가족이 식사를 자주 한 청소년은 탈선한 예도 줄고 학교 성적도 올랐다."고 한다. 온 가족이 함께 식사를 해야 하는 중요성을 경시하는 네가 두 귀 쫑긋하게 경청해야 할 말일 듯하다.

"미국의 다수의 주 지방정부는 9월 넷째 월요일을 '가족의 날'로 정하고 매년 그날을 온 가족이 함께 저녁 식사를 하고 온 가족이 함께 모여 즐거운 밤이 될 수 있도록 돕고 있다."고 한다.

국어사전에서 '식구'를 '한집에서 끼니를 같이하는 사람'이라고 돼 있다. '식구'라는 말을 반추해 보면 가족일 뿐이지 식구라고 하기에는 곤란한 판이다. 한 식구가 함께 앉아 식사를 하는 일이 드물어졌기 때문이다. 예컨대 우리 집만 해도 더욱이 너는 네가 집 안에 있을 때 "밥 먹어라.", "밥 먹어라." 몇 번을 해도 들은 척, 마는 척하기 일쑤고 필경 나중에 혼자 식사를 할 수도 있고 때로는 거를 때도 있다. 『가족식사는 놀라운 힘』이라는 책의 저자 미리엄 웨인스타인은 "부모의 불규칙한 퇴근, 자녀의 과외 활동 때문에 함께 식사하기 힘든 가정은 먼저 식사를 끝낸 사람이 나중에 온 사람을 위해 식탁에 앉아 있는 시간을 마련하자."라고 했다는데 컴퓨터, TV 앞에 앉아 있으면서 식사를 같이 안 하는 너로서는 경청을 하고 경청을 해 변화가 있어야 될 듯하다.

우리나라의 '밥상머리 교육'을 수입해 간 듯한 태평양 건너편 대륙에서 가족을 식구로 만들기 위한 노력과 붐, 순풍을 타고 역수입돼 '동방예의지국', '고요의 나라' 한국에 안착했으면 한다.

지피지기,
백전불태를 넘어서

"적을 알고 나를 알면 백번을 싸워도 위태롭지 않다(지피지기 백전불태, 知彼知己 百戰不殆)." 손자병법의 모공편에 나오는 말이다. "흔히 적을 알고 나를 알면 백전백승이다."라고 한다. 이 말은 국정원의 김대중 대통령이 쓴 "정보는 국력이다."라는 말과도 일맥상통한다!

2006년 7월 3일, 일본 도쿄에서 바둑 후지쓰배 결승전이 열렸었다고 한다. 이날 결승전에 도전한 한국의 박정상(6단)은 중국의 저우허양(9단)을 꺾고 우승을 했다.

후지쓰배를 안은 박정상은 준결승전에서 한국의 최철한 9단 결승전에서 중국의 저우허양 9단을 물리치고 국내외 통산 생애 첫 정상에 올랐다고 한다. 우승한 그는 "준결승과 결승을 앞두고 저우허양 9단과 최철한 9단의 기보를 열흘간 200국 이상 연구했다."라고 말했다 한다. 200국 이상의 기보를 연구하고 정상에 오른 박정상 6단은 비컨대 마치 '지피지기 백전불태'라는 말을 이해하게 하는 데 충분하고 모델 같기도 하다.

2006년 7월 1일, 독일 월드컵에서 독일과 아르헨티나와의 8강전 경기가 열렸었다. 승부차기로 독일이 승리했다.

승부차기에서 독일팀의 골키퍼 레스레만은 상대 선수가 찬 볼을 두 개나 막아내 팀이 승리하는데 견인차 역할을 했다. 레스레만은 승부차기에 앞서 코칭스태프로부터 한 장의 종이쪽지를 건네받았다. 쪽지에는 상대 키커로 나설 선수들의 정보가 고스란히 담겨 있었다고 한다. 즉 상대 선수들이 최근 2년간 페널티킥을 어느 쪽으로 찼는지에 대한 정보가 적혀 있었다는 것이다.

독일 골키퍼 레스레만은 정보가 담겨진 쪽지를 스타킹에 넣어두고 상대 선수의 키커가 바뀔 때마다 꺼내 읽고 몸을 날렸다는 것이다.

골키퍼 손을 '거미손'이라고 하는데 정보가 담긴 종이쪽지는 불현듯 거미가 연상된다. 예컨대 거미가 거미줄에 걸린 사냥감이 큰 건지 작은 건지 날개가 있는 건지 없는 건지 거미줄의 진동에서 얻는 정보와 다를 바 없을 테니 말이다.

포르투갈과 잉글랜드의 8강전 경기에서도 포루투갈의 골키퍼 히카르두가 정보를 이용했을 가능성이 있다고 레스레만이 말했다고 한다. 포르투갈의 골키퍼 히카르두는 잉글랜드와의 승부차기에서 상대 선수가 찬 볼을 3개나 막아냈다. 포르투갈은 히카르두의 선방으로 4강에 오를 수 있었다. 골키퍼 히카르두는 승부차기에서 3개나 막아내 월드컵 역사상 최초라는 기록도 세우기도 했다고 한다.

이날 경기를 마친 포르투갈의 골키퍼 히카르두는 "승부차기는 운이 많이 따른다는 점에서 복권이나 다름없지만 내 나름대로 연습을 많이 했다. 그러나 막는 비결은 알려줄 생각은 없다."고 해 레스레만의 말에 뒷받침되고 있다.

그래서 6각형의 편린 36개가 한 면도 빠짐없이 이어 꿰매 만든 공이 철통같은 거미손 때문에 벌집처럼 6각형의 구조로 얽은 그물망을 흔들어대는 일이 줄어들은 듯하다. 까닭에 통쾌한 맛은 감소했다!

하지만 바둑도 축구도 꾸준한 노력과 훈련, 연구의 진화 속에 정보까지 가세하니 진작돼 한층 더 흥미진진해 가고 있는 것만은 분명한 사실 같다.

네가 다니는 학원 중에 '지피지기'라는 학원이 있다. 학원명이 지니고 있는 뜻을 반추해 상기시킬 필요가 있음 직하다.

최선을 다하는 우리

이른 새벽 희미하게 동이 트기 시작하면 호수에는 물안개가 피어오른다. 부지런한 어부들 중에는 고기를 잡기 위해 벌써 노 젓는 사람도 있을 것이다.

호수, 고기 잡는 어부와 배, 물안개 등 주변을 배경 삼아 희미한 새벽을 카메라에 담기 위해 포커스를 맞추고 있는 사람도 있을 것이다.

물안개는 새벽에만 피어오르기 때문에 하루에 한 번 있는 새벽을 놓치지 않기 위해 사진작가는 이른 새벽에 이미 나와 있을 수 있다는 것이다. 옛날에 도연명이 '하루에 새벽이 두 번 있는 게 아니다'고 한 말과 일치한다.

사람이 살아가는 데 있어서 기회를 놓쳐서도 안 되고, 기회를 잡기 위해서는 기회를 찾아 나설 필요가 있다고 생각한다. 예컨대 사진작가처럼 말이다. 미국의 폭스 TV방송에서 실시하고 있는 가수 캐스팅에서 2002년 제1회 우승자로 폭발적 인기를 끌고 있다는 여가수 켈리 클락슨이 했다는 말이 생각난다. "꿈, 목표, 노력 모두 중요하지만 기회를 놓치지 않는 것이 가장 중요하다."

나는 농사를 지어 보았다. 씨앗을 뿌려야 수확을 할 수 있다는 것인데 씨 뿌린 대로 거둔다는 논리는 만고불변의 진리일 것이다. 수확을 하기까지는 몇 차례 중요하고 주요한 시기가 있다. 제때 씨 뿌려야 되고, 제때 김매야 하고, 제때 병충해 예방 등을 하지 않고

서는 수확을 기대할 수 없는 법이다.

'자식 농사는 평생 농사다.'라는 말이 있다. 요즘 결혼 적령기가 늦어져 저출산이 사회의 크나큰 이슈가 되곤 하는데 나이 25세 전에 낳은 아이가 25세 이후에 낳은 아이보다 장수할 확률이 2배 이상 높다는 미국의 어느 연구 발표도 시기와 맥락을 같이 한다!

지구가 자전과 공전하며 계절을 맞이하고 맞는다는 것처럼 이라고나 해야 할까. 네가 주기적이듯 컴퓨터 게임에 할랑하다.

사람들은 일을 하며 살아간다. 일은 재밌는 일과 중요한 일로 크게 나눌 수가 있을 것이다. 네가 하는 컴퓨터 게임도 일이다. 네가 하는 공부도 일이다. 컴퓨터 게임은 재밌는 일일 것이고 반면 공부는 재미가 없는 일로 중요한 일일 것이다. 전문가는 말한다. 재미있는 일 중요한 일 가운데 중요한 일을 우선해야 한다고 말이다.

요 며칠 전 일이다. 노숙인 같았는데 점포 앞에는 하루면 시도 때도 없이 수차례 막걸리를 마시는 사람이 있었다. 그의 말이 많은 걸 생각하게 해 적어본다.

폐지를 수거하는 사람이었다. 늘 그랬던 그는 그날도 술에 취해 겨우 몸을 가눌 정도였다. 그는 "아저씨! 한 가지 물어볼 게 있다."며 "어떻게 하면 잘 살 수 있는 거냐?"고 물은 적이 있다. 생각해 보자. 폐지를 수집하는 사람은 말만 폐지 수집한다고 리어카 끌고 다녔지! 중요한 건 뒷전이었고 재밌는 일만 일삼았다. 먼저 폐지 줍고 나중에 술을 마시든가 했어야 하는데 말이다.

어제 일이다. 네 어머니가 "무슨 재미로 사는 거냐?"고 말하더라. 어지간히 동문서답 격인데 나는 이렇게 말했다. 네가 학생이고, 네가 학교에 다니는 동안에는 네 뒷바라지를 할 수밖에 더 있냐고 다소 엉뚱한 말을 했다.

내가 네 어머니가 버거워도 네가 공부하도록 부추기고 추임새 넣는 게 가장 중요한 일일 거라고 생각해서이다.

시기(때) 중에서 가장 중요하고 가장 가치적인 게 학습해야 할 시기라는 것을 직시해야 한다. '목구멍이 포도청'이라는 말이 있는데 학습해야 할 기회를 놓치고, 결혼하고 아이 낳고 살다 보면 학습해야 할 기회는 영영 요원해질 것이다.

옛말에 "바쁘게 찧는 방아에도 손 놀 틈이 있다."는 말도 있지만 녹록지 않은 법이다. 하기야 60~70, 70~80세가 돼, 대학에 들어가 공부를 하는 사람도 있다지만 통상 보편적 현실과는 동떨어지는 일이다. 네가 최선을 다해 학습해야 하는 것은 '가치투자'라고 해야 할 것이고 60~70, 70~80세가 돼서 대학 공부를 하는 것은 형이상학적이라고 하고 싶다! 행여 나중에 배워도 된다는 생각이라면 착시현상일 것이다.

만약 천재라고 할지라도 정작 학습해야 할 시기를 어영부영한다면 '날개 없는 봉황'이 되고 말 것이다.

우리나라는 1997년 외환위기가 닥친 이후 실업자가 늘고 있다. 사회는 더더욱 치열하게 경쟁해야 하는 것이 현실인 것이다. 빈부의 양극화는 날이 샐수록 심대해지고 있다. 전에 자신있게 자칭 중산층이라고 말하던 사람들이 사뭇 시들해지고 있다고 한다. 중산층이 사라지고 있다는 것이다. 다층적 사회에서 부자, 상류층과 서민층으로 대칭을 이루고 있다.

언필칭 우리 같은 사람들은 "최선을 다하는 수밖에 없다."는 말을 또 한다. 각자 주어진 임무에 최선을 다해야 된다는 것이다.

2009년 5월 21일자 동아일보에는 대홍사 회주 보선 스님이 김갑식 기자와의 대담에서 "어제의 나를 알려면 오늘 내가 처한 모습을 보면 됩니다. 이전에 그런 씨를 심었으니 오늘 내가 그런 것이고, 오늘 뿌린 씨가 다시 내일 자신의 모습입니다. 어쩔 수 없는 어제라는 업(業)을 받아들이고 인정해야 오늘도 있고 내일도 있습니다. 직장이나 공부, 수행의 이치가 모두 한 가지입니다."

계절에 맞는 꽃이 피고 열매가 맺듯 네게 주어진 시기에 상응해 궁구할 때 효용적 가치가 충족될 것이다. 우스갯소리로 이 세상에서 가장 비싼 금은 지금(현재)이라는 말이 있다. 지금 순간순간을 알차고 보람있게 보내자.

『성공하는 사람들의 7가지 습관』이라는 책을 쓴 스티븐 코비는 "긴급하지는 않지만 중요한 일"을 우선해야 한다고 충고한다. 네가 지금 중요한 시기라는 것을 어지간히 안동답답이만큼이나 간파 못 하는 게 문제인데 '차일피일병'도 포함돼 있다. 즉 오늘 열심히 해야 할 일을 내일로 미룬다는 것이다. 네 모르게 자동적으로 무의식적으로 말이다!

속담에 "행동과 마음이 합쳐지면 하늘도 이긴다."는 말이 있다. "오늘 걷지 않으면 내일은 뛰어야 한다."고 러시아의 도스토옙스키는 채근한다. 도스토옙스키는 톨스토이에 비등한 작가로 사회의 추악한 면에 예리하게 글로 풍자해 폭로한 소설가 고골리와 공통점이 있다는 것 때문에 '새로운 고골리의 출현'이라는 평가를 받은 작가라고 한다.

'목이 말라야 우물을 판다'는 뜻으로 대책 없이 마냥 지내다 허둥대고 서두른다는 말인 임갈굴정이라는 사자성어가 불현듯 떠오른다. 임갈굴정을 발견하면 지체할 겨를 없이 '뛰어야 할 것'이다. 임계점을 자각하게 하는 절대음감이 절실하다. 쉼 없이 째깍거리는 시계 소리라도 듣고서 말이다.

습관이 인생을 결정한다

사뭇 예전과는 달리 요즘 우리 집에는 택배가 자주 배달된다. 대개 네가 인터넷으로 상품을 구입한 것들이다. 잠바, 바지, 가방, 티셔츠, 남방, 농구공, 신발, 시계 등 종류도 다양하다.

네가 주문한 것 중에는 한두 번 입고 마는 것도 있고, 누벼진 실밥이 터지기도 하고 금세 낡아 못 쓰게 되는 것도 비일비재하다. 물론 품질 좋은 것도 있고 잘 이용하는 것도 있지만 말이다.

참말로 돈이 아깝다는 생각이 들 때가 한두 번이 아니다. 그래서 나는 온라인 시장에서 구입해야 할 게 있고 오프라인 시장에서 구입해야 될 게 있다고 본다. 온라인 시장에 없는 것은 오프라인 시장에서 반대인 경우에는 어쩔 수 없지만 말이다. 특히 네게 걸치는 옷이나 신발 등은 더욱이 발품을 팔아야 할 것이다. 그리고 네게 필요한 건가 몇 번을 거듭해 생각하고 후회없는 물품을 구입하는 습관이 요긴할 것이다. 견물생심이라는 말이 있는데 실물도 아닌 화면만 보고 충동구매에서 따른 폐단을 잠재워야 할 것이다. '세살 버릇 여든 간다.'고 습관이라는 게 하루아침에 고쳐지지는 않을 테니 말이다. 등가물이면 말을 않는다.

"백 년에 한번 나올 만한 신용 쓰나미"라고 지금의 어려운 세계경제를 말한, 세계적 '경제 대통령'으로 통하는 미국연방준비제도이사회(FRB) 앨런 그린스펀 의장은 "경제는 생활속 습관과 체험으로 잘못된 판단을 바로잡는 데는 오랜 시간이 걸리므로 어릴 때부터 경제를 제대로 가르쳐야 한다."고 경제를 조기에 습관해야 한다는 것을 강조했다는 말은 주옥같은 말일 것이다. 엊그제도 말한 바 있는데 잔소리 같지만 네게 학생인 만큼 나는 하릴없이 성적순을 이따금 말하곤 한다. 성공과 출세에는 성적순서가 정비례하는 게 만고불변의 불문율일 것이다.

하지만 성공하고 출세했다고 해서 반드시 행복의 조건에 충족되지는 않을 것이지만, 성공과 출세는 행복의 초입일 것이다. 사람의 궁극적 목표는 행복이라고 한다. 그래서 행복해지려고 노력해야 하는데 습관이 행복을 만든다고 한다.

네게 지닌 잘못된 습관들을 일일이 열거하지 않는데 잘못된 습관들을 바뀌게 노력해야 할 것이다. 잘못된 습관들은 공동체 사회에서 문제가 될 것이다. 네가 한 가정을 구성했을 때도 문제가 될 수 있을 것이다. 양말을 벗어 아무데나 내팽개치는 버릇이 있다는 미국 대통령 버락 오바마는 최고의 권좌에 올랐다만.

명심보감 훈자편에는 "과거는 거울과 같아 잘 알 수 있지만 아직 오지 않는 미래는 옻칠을 한 것과 같아 어둡고 막막하다."는 말이 있다.

아직 보이지 않는 미래의 행복에는 평소 어떠한 습관을 지녔냐가 결정짓는 것일 것이다. 어렸을 때 습관이 얼마나 무서운가를 '투자의 귀재'라고 하는 워런 버핏을 말해보자. 주식투자의 달인인 워런 버핏은 우리나라 기업의 주식투자를 위해 몇 차례 한국에 왔었다 하고 우리나라 기업의 주식을 갖고 있다고 한다.

주식투자에 이골이나 세계적 억만장자가 된 그는 용돈을 모은 6달러로 11세 때 주식 3주를 샀던 게 투자의 귀재 지금의 그를 만드는 원동력이 됐다고 한다.

한편 어려서부터 근검절약에 익숙해진 그는 구입한 지가 50년이 다 돼가는 허줄한 주택, 시골 동네에서 살고 있다고 한다.

앞서 발품말이 나왔고 어그러진 모양새다. 네가 물품을 구매하기 위해 절실한 검색 업체 '구글' 컴퓨터 공학박사인 에릭 슈미트 회장은 '컴퓨터 혁명'시대의 어처구니 없는 수혜자로 세계적 부자라고 한다. 그가 '아나로그적 삶'을 강조해 눈길을 끈다.

그는 펜실베니아대 졸업식 축사에서 아날로그적 삶의 중요성을 강조하고 "어떤 것도 손자가 첫 걸을 뗄 때 손을 잡아주는 기쁨을 대신할 수 없다. 컴퓨터를 끄고 휴대전화를 내려 놓으면 우리 주위에 인간이 있음을 발견하게 된다."고 말했다고 한다. 컴퓨터가 아기의 손을 잡지는 못한다는 말일 것이다. 컴퓨터가 만능이 아니고 컴퓨터가 해야 할 일이 있고 발품을 팔아 직접 나서 해야 할 일이 있다는 것일 것이다!

시장의 구도는 옛날과 달리 온라인 시장과 오프라인 시장이라는 두 축을 이루고 있지만 온라인 시장은 점점 증폭돼 증진적이지만 오프라인 시장은 그 반대라고 한다. 온라인 시장은 인터넷 세대인 네게 편리하고 유용성 가치가 높을지 모르지만 각별히 선별해 선용해야 할 것이다.

그리고 네가 예전에는 용돈이 생기면 자동적으로 작동되는 것처럼 일정 금액을 통장에 넣곤 했다. 하지만 요즘은 인터넷 구매로 말미암아 저축은 차치 물론하고 마이너스다. 습관이 버릇으로 전이 될까 봐 나는 안절부절못한다.

'돈은 쓸려고 버는 것'이라는 말이 있듯 돈은 써야 하는 것이지만 아무리 안해도 주먹구구식을 무시한다고 무턱대고 써버리는 것은 국가 경제에 도움이 될지는 몰라도 개인에게는 파산선고 전조일 것이다!

많은 국민들이 돈을 움켜쥐고 쓰지 않으면 시장경제가 어려워진다고 한다. 그래서 시장경제가 얼어붙으면 정부가 나서 구매하라고 부자들에게 독려하기도 한다. 그러나 부자들이 구매량을 늘려도 시장경제가 호전되는 데는 한계가 있다는 게 중론인가 보다.

부자들이 구매하는 건 고가품, 사치품 등으로 한정돼 있어 액면은 높지만 기실 시장경제에는 별 도움이 안 된다는 것이다.

실질 지금 시장경기가 지난 외환위기는 아무것도 아니라는 말이 있다. 경제가 어려우면 가장 곤란을 겪은 계층이 서민이라고 하는데 아비규환이다. 경기가 부양되기를 학수고대한다. 이명박 정부는 2009년 4월, '자동차산업 활성화 방안'으로 노후 차량을 폐차하고 새차로 바꿀 때 개별소비세, 취득세, 등록세를 각 70% 감면해 주기로 한 것도 시장경제 부양책일 것이다. 참고로 적으면 5월 자동차 내수 판매가 12만 대였다고 한다. 최근 6년간 월별 가장 많은 판매량이라고 한다. 세계보건기구(WHO)가 한국을 물부족 국가로 지정한 지 오래됐고, 물 한 방울도 소중함을 강조하는 시대다. '물 전쟁'시대다. 물을 물 쓰듯 하는 것도 지탄을 받는 시대가 됐고, 물을 물 쓰듯 하는 시대는 이제 물 건너갔다. 하물며 돈을 물 쓰듯 하는 시대는 참말이지 아닐 것이다.

사람은 물욕이 있다. 큰 집에서 살고 싶고, 큰 차를 굴리고 싶고, 많은 돈을 모아 부자가 되고 싶을 것이다.

용돈을 물쓰듯 하는 네게 말한 적이 있는데 세계적 국제문제 전문가, 『뉴욕타임스』 칼럼니스트 토머스 프리드먼이 쓴 『렉서스와 올리브나무』(번역 신동욱, 출판 창해) 14장 「승자가 모든 것을 갖는다」 편에 나오는 이야기를 인용해 그대로 옮겨 적는다.

"세계적 스포츠 스타들과 팬들 사이의 간격은 거의 건너뛸 수 없는 별개의 세상으로 굳어졌다. 스티브 커는 이렇게 말했다. '언젠가 저는 권투 선수 에반더 홀리필드에 대한 이야기를 어디선가 읽은 적이 있습니다. 그는 1,600평짜리 집을 짓고 사는 사람입니다. 물론 저는 그가 그런 집을 지은 데에는 뭔가 다른 이유가 있을 것으로 확신합니다. 하지만 그 기사에 따르면 그는 가난한 집 아이들을 초대해 집 구경을 시켜줌으로써 그들이 열심히 노력해 얻을 수 있는 것이 어떠한 것인지 보여주고자 했습니다. 그들도 열심히 노력하기만 하면 1,600평짜리 집을 가질 수 있다는 점 말이죠. 하지만 그렇게 되기 위한 유일한 방법은 헤비급 세계 챔피언이 되는 것뿐입니다. 그런데 그런 사람은 세상에 단 하나뿐, 둘도 없지요. 이제 모든 것이 '무엇을 살 수 있는가'로 판가름 되고 있습니다. 성공한 스포츠 선수들이 학교에 가서 아이들에게 하는 이야기란 결국 이것입니다. '학교에 열심히 다녀라. 그러면 너희들도 내가 지금 지니고 있는 이 모든 것을 다 살 수 있다.' 저는 이것이 올바른 메시지라고 생각하지 않습니다. 올바른 메시지는 '학교에 열심히 다녀라. 그래야 너희들이 인생에서 하고픈 일을 할 수 있다.'일 것입니다.'"

보이지 않는 헤로인:
모니터 속의 악마

네 어머니가 동네에 있는 우리 단골병원인 작은 병원에서 초음파검사를 받고, 위내시경 촬영을 했다. 결과는 우려스러웠다.

몇 년 전 개복을 하고 대수술을 받은 적이 있는데 그때 네 어머니의 삶과 죽음의 차이가 종이 한 장 차이도 안 됐을 것이다. 그때 메스의 흔적이 지금도 20㎝는 나 있다.

이번 받은 위내시경 촬영에서 너댓 개의 혹이 있다고 했다. 그래서 방사선과에서 보다 정밀한 CT촬영을 받았다. 몇 개의 혹이 있다는 위내시경 결과와는 상이하게 아무런 이상이 없다는 검사결과였다. 천만다행이었다. "자라 보고 놀란 가슴 솥뚜껑 보고 놀란다."고 가슴이 덜컹 내려앉은 나는 네 어머니의 좋은 검사 결과에 한없이 기뻤다. 네 어머니가 자주 말하는 "스트레스", "스트레스를 많이 받는다."고 하는데 만병의 근원이라고 하는 스트레스 때문에 혹여 이상이 있지는 않나 의심이 갔었는데 다행이었다.

스트레스와 본질은 다르나 사촌 격이라고 해야 할까 동질적일 듯한 노이로제가 있다. 노이로제는 의학용어로 불안, 과로, 갈등, 억압 등 감정에서 기인하는 실체적 병증 총칭이라고 한다는데 노이로제는 기실 정당성에서 발생한다고 한다. 실로 아이러니하다. 그도 그럴 것이 나도 그렇긴 하지만 나보다는 한층 도수 높게 네 어머니가 긴히 "일찍 일어나 학교 가자.", "세수해라.", "밥 먹어라." 등의 말은 응당 해야 할 것이고 적합한 말일 테지만 그런 데서 노이로제가 발생한다는 것이다.

입술에 침 발라가며 부풀려 약간만 뻥튀기하면 하고 한 말을 수십 번을 거듭하는데 모르면 모르되 노이로제가 생길 것이다.

노이로제가 스트레스가 되고, 스트레스가 우울증을 유발하게 하는 건지 모르겠다. 우울증, 무서운 병이라고 한다.

〈엄마가 뿔났다〉는 주말연속극이 인기리에 종영된 적이 있다. 평균 30% 이상 시청률을 보였다고 한다. KBS 2TV에서 방영했었다. 작가 김수현 작품이다.

<엄마가 뿔났다>에서 하이라이트라고 해야 할까 담론거리가 있었다. 엄마인 김한자(김혜자)가 집을 나가 원룸을 얻고 자유를 누리는 '엄마의 휴가'였다. 가출 기간이 1년이었다. 많이 바뀌긴 했지만 유교 문화가 팽배한 사회에서 돌발적이었다.

김수현 작가는 '엄마의 휴가'로 논란이 일자, 자신의 홈페이지에 '한자의 탈출'이라는 제목으로 "가족이라는 울타리 안에서 엄마라는 이름으로 평생을 봉사한 (엄마)한자가 가족 속에 함몰되어 버린 자신의 존재감을 좀 찾아보겠다는 게 왜 비난거리가 돼야 할까요." "부모는 왜 휴식조차도 원해서는 안 되는 건지요."라고 올렸다고 한다.

"밥 먹어라, 밥 먹어.", "일어나라, 일어나.", "학교 가자."고 아침에 하는 동안이 대략 1시간이다. 꿈쩍도 하지 않는 데에 엄마가 뿔났다. 김수현 작가 이야기를 더 안 할 수가 없다. 아침마다 매번 네 엄마가 뿔나서다. "더는 늙은 부모님께 아무것도 요구하지 마십시오. 부모가 늙으면 부모가 원하기 전에 자식이 스스로 먼저 알아 채워 드려야 할 때입니다. 그저 나는 이 말을 하고 싶었을 뿐입니다. 부모를 늬들 밥으로 생각하지 마라."

오늘 네 어머니가 네 학교에 갔었다. 점심 급식이 어떻게 배식되는지를 감시하는 것 때문이었다. 자발적으로 학부모들이 나서서 하는 일이다. 네 선생님을 만났다고 한다. 네 선생님 말씀이 네가 "여유가 있다."고 말하셨다고 한다. 나는 네 어머니에게 말했다. "바로 그거야! 때가 어느 땐데 여유작작하냐고 여유가 있다고 한 말은 에두른 은유적 표현일 것"이라고 말이야.

네 선생님이 놀라셨다고 한다. 고등학교 2학년 학생인 네가 아직도 무시로 컴퓨터 게임을 하루에 수 시간씩 한다는 사실 때문에, 네 동아줄 쇠사슬을 p.035~1.70%의 탄소가 함유돼 강도와 인성이 높은 강철이 되도록 해야 할 것이다. 그래서 강도와 인성을 무능화하게 하는 매개를 냉큼 끊어야 할 것이다.

보이는 게 전부가 아니라고 한다. 컴퓨터 게임 모니터 화면 이면에는 헤로인, 악마가 존재할 것이다. 다시 말하면 네 정신세계를 시나브로 옭매는 매개라는 것이다. 모니터에 숨은 헤로인, 악마가 네게 "이놈아 정신 차려 이 바보야."라고 쓰러뜨렸다고 승리감에 도취한 포만감은 함포고복하기에 충분할 것이다. 그래서 파안대소할 것이다. 사람이 고깟 것 헤로인, 악마(컴퓨터 게임)로부터 조롱받고 분개하지도 않냐? "바보야."가 나왔으니 더 말한다. 미국 대통령 클링턴은 대통령 선거에 나섰을 때 당시 어려운 미국경제와 적합되게 접목한 "바보야 문제는 경제야."라는 멘트로 득을 봐 대통령에 당선됐다고 한다.

몇 글자 안 되지만 표어에는 어마한 에너지가 있을 수 있을 것이다. 혹여 네가 마뜩잖을지 모르지만 네게 끽긴할 표어로 “바보야 문제는 늘보야.” 또는 “늘보야 문제는 늘보야.”라고 하면 어떨까!

보이지 않는 모니터 속 헤로인, 악마를 속 시원히 들여다볼 의향은 없느냐? 미시적 관찰이 요구되는데 약시 치료하듯 가림치료를 해야 할 것이다. 프리즘을 쓴다든가 한쪽 눈을 가리고 한쪽 눈으로 보게 해 정상으로 잘 볼 수 있게 하는 것 말이다.

“아무리 강한 사슬도 그중 가장 약한 고리에 의해서 강도가 결정된다.”는 말이 있는데 거푸 말하는 것이지만 너도 네 몸과 마음의 약한 고리에 자양분을 북돋워야 너의 잠재력은 끄떡없는 동아줄이 될 것이고 화수분은 덤일 것이다.

나는 동화, 『갈매기의 꿈』(저자 리처드 바크, 번역 이정애, 곽정현 도서출판 선영사)을 이따금 읽곤 하는데 어언 오늘, 네 나이만큼인 15번째 읽었다! ‘제3부’에 나오는데 가장 기억나는 게 있다.

“하늘을 나는 것은 갈매기의 권리입니다. 자유는 바로 우리의 본질이죠. 자유를 방해하는 것은 무엇이라도 팽개쳐 버리십시오. 어떤 식으로든지 의식이 관습, 어떤 한계가 되는 것들 모두를…”

그리고 “나는 날 수 있다! 들어봐! 나는 날 수 있어.”

소리의 진화, 경청의 능력

"네가 대학 가는 관문인 수능시험이 내년 11월 11일에 있다고 한다. 올해 수능시험과 대동소이하다고 한다. 벌써! 네가 봐야 할 수능시험이 매체를 탄다."

고등학교 3학년 때 네가 치를 수능일이 내년 11월 11일로 결정됐다는 언론의 보도를 보고, 네 컴퓨터 모니터 상단에 애써 단단히 붙혀 놓은 종이에 적힌 글이다.

비상의 전조로 날갯짓하는 네가 네 꿈을 실현하게 하는 좋은 대학에 붙어라고 질좋은 접착력 높은 테이프로 절대 떨어질 수 없게 정성 들여 기를 모아 기도하며 붙혀 놓았던 것이다.

네가 봐야 할 수능일이 1년하고 6개월 남았다. 이제 바짝 축약해 점검하고 카운트다운 해야 할 시점인 듯하다. 물론 학교에서 모의고사 등 시험을 통해 점검을 한다만 스스로 자구하는 자세도 필수적일 것이다.

올해 수능 시험과 내년 수능시험 난이도가 별반 차이가 없나 본데 네게는 유리할 수 있을 것이다. 까닭은 참여정부 시절, 2006년도 수능시험에서 언어영역 만점자가 무려 1만 명이 넘었었다. 그러다 보니 아니 뭣이고 실수는 안해야 하는 것이지만 '실수 안 하기'가

대두돼 화두로 떠오른 적이 있다. 실수는 결정차를 맞는 것과 같다는 것이다. 2008년 수능시험에서 수리영역이 전년보다 20점 가까이 낮아진 것으로 드러났다. 지난 수년 동안 쉬웠던 난이도와는 달리 최근 높아진 난이도는 학교에서 총점이라고 할 수 있는 내신이 다소 취약한 네게는 원군을 얻은 거나 다름없을 것이기 때문이다.

속담이 생각이 난다. "논에 물 들어오는 일과 아이들 입에 밥 들어가는 것이 가장 기쁘다." 요즘 물자 넘쳐 나는 시대여서 보릿고개도 있을리 없고 먹을거리도 넘쳐나는 시대다.

그래서 네가 학년 하나하나 오를 때마다 그것이 나는 '가장 기쁘다' 네가 옥수수 여물 듯 농익고 성숙히 성장할 테니 말이다. 옥수수 말이 나왔으니 망정이지 수염이 달린 옥수수 껍질을 벗겨보면 알갱이 몇 개 붙어있는 것도 있고, 하나도 빈틈없이 질서정연하게 종렬로 세워놓은 듯한 촘촘이 꽉 들어차 있는 것도 있다. 그 차이는 수염의 역할에 있다고 한다.

즉 균등히 나있는 옥수수 수염이 바람에 날리는 수술(꽃가루)를 맞이해야 한다고 한다. 수술을 안 맞이할 때 그곳에는 알갱이가 맺지 않는다고 한다.

네게는 단점 하나가 있다. 경청의 능력, 아니 더 분명하게 말하면 경시하는 태도, 옛말에 손자에게서 배운다는 말이 있다. 곡식이 여물면 이삭을 숙이는 법이다. 아직 너는 여물어 가는 중인데 고성능 안테나처럼 수신 능력이 증폭돼야 할 것이다. 그래서 귓속 안의 '유모세포'가 더욱 진화했으면 한다. 까닭은 저는 소리가 들어오면 먼저 고막을 진동시키고 귓속뼈와 막을 거쳐 달팽이관에 있는 유모세포에 닿는다고 한다. 닿은 소리를 유모세포가 청신경으로 전달하면 드디어 극미한 소리부터 어마한 굉음까지 들을 수 있다고 해서다.

경청의 능력, 유모세포의 능력을 시험해 봐라! 나는 오늘 아침 너를 등교시키면서 "대통령이 된 사람, 유엔 사무총장이 된 사람, 장군이 된 사람, 검사, 판사가 된 사람 모두 대통령이 되겠다는 꿈, 검 판사가 되겠다는 꿈이 있었기에 그 자리에 올랐을 것"이라고 말했다. 다시 말하면 "그들이 무엇이 되겠다는 꿈이 없었다면 그 자리에 오를 수 있겠느냐?"고 반문도 했다.

목표를 향한 나침판

"몇 시에 잤냐?" 어느 날 아침 밤늦도록 컴퓨터 게임 한 네게 6시 50분경 차 안에서 한 말이다. 이어 "요즘도 꿈은 변함이 없냐?"고 했다. 계속 내가 했던 말을 조금 적어보자.

"나침판이 있어야 한다. 지금 운전을 하고 가는 건 길이 있어 길을 따라가는 것이지만 이정표를 따라 목적지 학교로 가는 것이다. 네가 학교에 내리면 나는 또다른 목적지 가게로 간다.

배나 비행기는 길이 없는 바다를 헤쳐나가고 길 없는 하늘을 나는 것은 나침판 때문에 날 수가 있다. 만약에 나침판이 없는 배, 나침판 없는 비행기가 망망대해서 수천 미터 상공에서 이정표를 찾겠느냐? 미아가 돼 표류하고 말 것이다. 그래서 비상수단이라도 구가해야 할 것이다. 내가 어릴 적 숨바꼭질할 때 일이 떠오른다.

술래가 됐을 때 도무지 어디에 꼭꼭 숨었는지 오리무중일 때가 있었다. 그럴 때면 더러 손바닥에 침 뱉어놓고 다른 손으로 승리한다는 뜻을 부여해 검지와 중지로 빅토리 첫 글자 V로 만들고 두 손가락을 편 채로 검지와 중지를 닿게 해 이미 뱉어놓은 침에 힘껏 쳐댔다. 침이 튀긴 쪽을 샅샅이 뒤졌다. 공교히 우의 중에 돼 꼭꼭 숨은 사람을 찾아 술래를 모면하기도 했다.

또 평수상봉(萍水相逢)이라는, 부평초(개구리밥)가 바람 부는 대로 떠다니다 우연히 만난다는 사자성어도 있다.

며칠 전 내게 "어떻게 하면 잘살 수 있느냐?"고 말한 박스를 수거하는 술에 취한 사람이 있었다고 했는데 그 사람 아마 표류하고 있는 사람일 것이다.

표류하고 있을지 모르는 그도 꿈이 있었을 것이다. 다만 목표에 줌앞줌뒤일 것이다. 하지만 폐지를 수집하는 그 사람이 새 목표를 찾아나섰는지도 모르겠다. "공교롭게도 어떻게 하면 술을 덜 마실 수 있고 잘살 수 있냐?"고 말한 그날 이후 나타나질 않아서다. 참말로 이상야릇하다고 아니할 수 없다.

사람들이 목표는 정하지만 필연적으로 꼭 목표에 도달하지는 못할 경우도 있을 것이다. 줌앞줌뒤는 있는 법일까 말이다. 천하 제일가는 양궁 선수도, 사격 선수도 과녁을 10점짜리 만점만 명중하지 못하는 줌앞줌뒤가 십상이다. 북극성하면 방향을 알 수 있다는 개념이 앞선다! 북극성이 24시간 우리 눈에 보이는 것도 아니다. 그래서 우리는 나침판에 의존한다. 나침판은 정확한 방향을 가리키는 것으로 인식된다.

하지만 나침판이 실제 가리키는 북쪽과 북극성(북쪽)과의 거리가 966㎞의 오차가 있다고 한다. 나침판도 북극성하고 서로 어그러진 격인데 어찌 사람이 자기가 꾼 꿈을 실현할 수만 있겠는가 하는 생각이 앞선다.

만약 네가 설정한 목표에 줌앞줌뒤가 있다고 해서 너무나 연연할 필요는 없다고 본다. 다시 짜 다시 시작해야 할 것이다. 나침판이 북극성과 오차가 있다는데도 목적지에 도달하게 하는 첨병이니 더더욱 그런 생각이 든다. "고난이 사람을 쓰러뜨리는 게 아니라

좌절이 사람을 쓰러뜨리는 것"이라는 말이 있듯 설령 목표에 차질이 있더라도 기개해야 할 것이다.

오래전 미국에서 있었던 마라톤 대회에는 전쟁터에서 팔, 다리를 잃은 사람이 출전했다고 한다. 그는 마라톤 선수들이 2시간 남짓이면 들어올 수 있는 풀코스를 몇 날 만에 완주하고 소감을 묻는 기자들의 질문에 "어디서 출발하느냐가 아니라 어디서 멈추냐가 중요하다."고 말했다고 한다.

사회는 형언하기 어려울 만큼 엄혹한 것이다. 세계경제가 '초유의 공황'을 치닫고 있는 판국에 자라고 있는 네가 머잖아 맞닥뜨려야 하는 것이다. 고기 잡는 방법을 배워야 할 것이다. 시간을 허투루 물 쓰듯 할 겨를이 없다! 반면교사가 되기에 충분할 듯하다. 지난해 11월, 11월에 걸맞지 않게 느닷없이 한파가 닥쳤었다.

일기예보는 다음 날 아침 기온이 영하 12도까지 내려갈 거라고 보도 했었다. 바람이 불어 체감 온도는 훨씬 더 내려간다고 했다. 예보에 적중하려는 듯 저녁이 되더니 벌써 수은주가 영하 7~8도로 곤두박질쳤다. 게다가 바람이 억세게 불어 체감온도가 이미 영하 15도는 됐을 것이다!

햇볕은 스스로 옷을 벗게 하지만 바람이 옷을 벗기려고 하면 더욱 움켜쥐고 여미게 된다는 '바람과 햇볕'이라는 동화가 있는데 사람들은 미처 대처 못한 추위에 앞을 여미며 '추워 추워!' 하고 종종걸음으로 귀가를 재촉하고 있었다.

그때, 느닷없이 찾아온 추위에 오들오들 떨고 있는 고양이가 있었다. 추위를 버거워하는 5~6개월 돼 보이는 어린 고양이(또또)를 안으로 들어오게 했다.

그로부터 몇 개월이 돼 따뜻한 봄날 '또또'를 밖에 내보냈다. 얼추 수백 미터 반경을 영역으로 하고 있는 것 같다. 지금은 또또가 야생에 많이 적응하고 있는 것 같지만 맹수적 기질은 온데간데없고 순한 양이 돼버린 듯하다. 주특기고 주 무기인 사냥은 어림없고 도시에서 야생 고양이가 물을 먹을 만한 곳이 마땅치 않을 것 같지만 심지어 어디서 물도 찾아 먹지도 못하는 모양이다.

그래서 나는 요즘 딜레마에 빠졌다. 지금껏 내가 또또에게 먹이를 유시(有時)로 줘 왔듯 먹이는 주지만 점진적으로 횟수를 줄여 야생에 적응하도록 목표로 하고 있는 터였는데 봤던 사람들의 말을 들으면 또또가 야생 고양이와 경쟁에서 어림없나 보다.

그래서 줘 왔던 먹이를 지속해 줘야 하는 건지 아니면 그 반대여야 하는건지 해답이 요원할 것만 같다. 왜냐면 지금도 경쟁에서 밀리는데 힘이 군림하는 동물들 세계에서 어찌 되겠느냐는 것이다. 불을 보듯 자명하다. 나는 완급을 조절해가며 본질인 맹수적 기질이 발현되게 해 사냥도 하고 본연의 독자생활을 할 수 있도록 하는 생각에는 변함이 없다.

그리고 나는 또또가 자기들 세계에서 제왕이 돼 군림하는 지대한 일생이 되길 바란다고 말한다.

공부, 그리고 도전

나는 가끔 여론조사기관이라며 국가 정책이나 각종 사안에 대해 옳고 그른가를 묻는 전화를 받는다.

선거철이 되면 각 정당이 나서 여론조사를 자주 하므로 하루에도 수 통화씩 받을 때가 있다. 고백성사하면 그런 전화를 받을 때면 물론 성실히 대답할 때도 있었지만 일부러 무성의하게 답한 적이 한두 번이 아니었다. 사람에게는 사실과 관계 없이 자기가 믿고 싶은 것만 믿으려 한다는 '확증편향'이듯 나는 그래서 그야말로 냉소적이었다. 몇 번의 선거에서 여론조사 결과가 엉터리였던 적이 있었다. 내 생각이 맞았다는 생각이 들었다. 그때 나는 내가 여론조사를 불신하는 입장에서 희락해 전율이 일은 적이 있다.

때로는 여론조사가 딱 맞아 떨어질 때도 있다. 그럴 때면 와! 하고 감탄하기도 한다. 속내를 확연히 드러내지 않은 사람이 나뿐인가 해서다. 그래서 감응한 나는 보다 솔직담백하게 여론조사에 응하려고 한다.

여론조사는 통치권자가 정책을 입안하는 도구로 이용하려 하기도 한다고 한다. 예컨대 매주 여론조사를 주문했다는 미국의 빌 클링턴 대통령은 국가정책에 어려움이 부딪치면 매일 저녁마다 여론조사를 지시했다고 한다.

말을 빌린다 "로널드 레이건 대통령은 자신의 신념을 전파할 방법을 찾기 위해 여론조사를 사용했지만 클링턴은 어떤 신념을 가져야 할지를 알기 위해 여론조사를 했다."

빌 클링턴 대통령이 어떠한 신념을 가져야 할지를 알기 위해 여론 조사를 했듯 네게도 신념을 찾는 게 다급할 것이다. 학생인 네가 공부를 왜 해야 하는가 신념 말이다.

우리 집에는 너만 학생이고 나머지는 사회생활을 한다. 우리 집은 네가 진작 돼라고 가끔 여론조사를 한다. 진작에 담론적인 것도 있고 하나같이 이심전심으로 암묵적 동조를 한다는 것을 텔레파시로 알 수 있다. 공부를 해야 한다는 신념, '공부를 왜 해야 하는가?' 인데 '열심히 노력해야 한다.'고 이구동성이니 그렇다. 미국 대통령 클링턴은 신뢰도 100%로도 아닌 걸 가지고 정책을 만드는데 이용하기도 했을 것이고 성공한 대통령이 됐다. 그래서 네가 신뢰도 순 100% 여론조사 결과를 간과해 대수롭지 않게 무용화 한다면 무책임한 발상일 것이다.

오늘 내가 네 학교 정문에 너를 내리게 하기 직전 "나는 너를 물가에 데려다 놓았다. 물은 네가 먹을 차례다"고 "말을 물가에 끌고 갈 수는 있어도 물을 먹일 수는 없다."는 속담을 빗댔다.

"공부 공부" 말해봤자 소용없는 일이라고 뭇사람들이 말하더라. 그렇지만 안동답답이가 된 나는 공부라는 말이 나왔으니 지체해 보고자 한다. 흔히 사람들이 '공부 잘하기'가 어렵다고 한다. '공부는 하기 싫은 것'이라고 한다.

이에 반하는 책(『공부가 가장 쉬웠어요』)이 있다. 저자(장승수, 출판

김영사)는 '공부가 가장 쉬웠다.'고 말한다. 서울대학교를 수석으로 입학한 그는 고등학교 시절 싸움박질 잘하고, 고등학교를 졸업하고서는 막노동판을 전전하기도 하고 신문 배달, 물수건 배달, 굴착기 조수 등 여러 일을 경험했다고 한다. 그는 그런 일을 하면서 이대로는 안 된다는 것을 자각했다고 한다.

그즈음 그는 고등학교 시절 때 모범적이고 공부 잘했던 친구를 우연히 만났고 친구가 다니던 고려대학교를 구경하게 됐다고 한다.

그는 그 후 고려대학교가 눈앞에서 어른대고, 환상 속에서 부글댄다고 했다. 그는 이상의 소설 『날개』를 떠올리며 "날자, 한번만 더"라고 비상의 꿈을 꾸기 시작했다는 식으로 토로한 말이 『공부가 가장 쉬웠어요』에 적혀있다.

에디슨이 패러데이의 『전기학의 실험적 연구』라는 한 권의 책을 읽은 게 그의 인생을 바뀌게 만들었다는 것이 정설이다. 며칠 전에도 읽었으면 한다고 말한 적이 있는데 네게 절대 필독서가 『공부가 가장 쉬웠어요』일지 모르겠다.

2009년 7월 어느 날 신문, 동아일보에는 중앙대 정치학 장훈 교수의 칼럼이 있었다. 「이 대통령께 두 권의 책을 추천합니다」라는 제목을 달았다. 『끌리고 쏠리고 들끓다』(저자 클레서키), 『권력의 조건』(저자 도리스 굿윈)이다.

만천하에 공개적으로 두 권의 책을 추천받은 이 대통령이 심드렁할지 모른다만 너는 부러 심드렁한 모양이다. 그냥 있자니 네게 나의 도리를 방기하는 것 같다. 『공부가 가장 쉬웠어요』를 읽어 봤으면 한다고 하고 키보드 옆에 정연히 놓아뒀건만 시선 한번 주지를 않는 것 같으니 말이다. "책을 읽지 않으려면 그냥 냄새 맡고, 만지고, 쓰다듬기라도 해라."(윈스턴 처칠의 말)

사람은 어떠한 계기가 주요하다고 하듯 『공부가 가장 쉬웠어요』 저자 역시 고등학교 시절 공부 잘했던 친구 대학생을 만나 고려대학교를 견학한 게 대학공부를 하게 된 동기부여라고 할 수 있을 것이다.

며칠 전 나는 네게 표어가 어마한 에너지가 있을 수 있다고 한 적이 있다. 『공부가 가장 쉬웠어요』 저자는 한국 근대 선구자 김구 선생이 한 말을 흉내 내 "누가 나에게 세상에서 제일 재미있는 일이 무어냐고 묻는다면 나는 서슴없이 공부라고 말할 것이다."고 썼다.

독일의 괴테는 고등학교 시절을 질풍노도 시기라고 했다고 한다. 고등학교 시절쯤은 일생에서 가장 충동적일 수 있고 가장 에너지가 왕성한 시기라고 할 수 있을 것이다. 충동적이고 넘쳐나는 에너지를 100년에 한번 올까 말까 한다는 글로벌 위기 경제에 부합되게 융합하는 자세가 절실할 것이다. 애두를 필요 없이 말하면 '애늙은이'가 되는 것, 철드는 것 말이다. 문뜩 떠오른다. TV에 나왔던 광고이다. 까먹기 전에 쓰고 말을 잇자. 대학 입시에 실패한 학생이 새 각오로 일신하면서 "나는 실패한 것이 아니라 실패에 대처하는 법을 배우고 있다."

최근 문화관광체육부가 발표한 '2008년 국민 독서 실태 조사 결과'를 보면 초등학교 때 하루 52분 독서시간이 중학교 때는 38분이고 고등학교 때는 34분이었다.

학년이 높아질수록 독서량이 낮아지는 추세인지라 너도 그렇겠구나 하고 긍정적으로 생각하지만 해도 너무한다는 생각이 또 앞선다. 초등학교 때는 네가 '다독상'을 받은 생각이 또 앞선다. 초등학교 때는 네가 '다독상'을 받은 적도 몇 차례나 된다. 지금은 정작 책을 안 읽으니 책이 호랑이보다 더 무서운 건가 모르겠다. 학교가 높아지고 학년이 오를수록 책을 강건너 불구경하는 듯하는데 책을 많이 읽는 학생이 리더가 된다는 것을 생각해 볼 필요가 있을 것이다.

성공한 최고 경영자, 성공한 과학자, 성공한 정치인 모두 독서의 중요성을 강조한다. 부자가 된 사람들의 한결같은 습관이 독서라고 한다. '주식투자의 귀재' 워런 버핏은 '지혜를 빌려 달라.'는 질문을 받고 "책을 읽고, 읽고, 또 읽으라."고 답했다.

오늘 네게 "『공부가 가장 쉬웠어요』라는 책을 읽어 봤냐?"라고 말하고 "안 읽었다면 읽었으면 한다고 권고한 책은 분량이 250면 정도 되니 1시간에 50면을 읽는다면 5시간이면 읽을 수 있을 것이다."고 말했다. 또 이 책은 부영양호가 득실대 네게 용기를 줄 것이고 대치법을 처방할 것이다. 처방전을 절대 오용만 않는다면 글로벌 경제 전망을 세계적 경제학자들도 낙관론과 비관론으로 맞서 종잡기 어려운 판국인데 책은 네 미래를 투명하게 할 것이다.

그리고 노파심에서 최근 경제협력개발기구(OECD)와 세계은행이 발표한 엇된 전망을 적어둔다. 경제협력개발기구는 6월 24일 올해 세계경제 성장률을 3개월 전 예상치보다 0.5% 상향 조정해 -2.2%로 전망했다고 한다. 반면 이틀 전에 앞서 발표한 세계은행의 전망은 3월에 발표한 -1.7%보다 1.2%포인트 낮게 -2.9%로 하향 조정해 발표했다고 한다. 컨설턴트이고 저자인 윌리엄 서든은 오락가락하는 경제 전문가를 비꼬아 『미래를 파는 사람들』이라는 책에서 '권위 있는 전문가들'이 발표하는 사회 경제적 예측이 엉터리가 많다고 소개하며 "예측을 믿느니 차라리 동전을 던져라."라고 말했다고 한다. 개뿔도 세계경제 전망을 누가 아느냐는 식이다.

주식시장에 '전문가의 말을 신뢰하지 마라.'는 말이 있고 '주식투자의 책임은 자신에게 있다'는 말처럼 분명 네 삶도 책임이 네게 있을 것이다. "삶은 가치투자의 과정"이라고 한다. 별박이처럼 네 꿈을 높이 띄워 가치 있는 삶이 되도록 진작해야 할 것이다. 부자도 하루에 밥 세 그릇, 가난한 사람도 하루에 밥 세 그릇이라는 말은 안일한 말로 얼토당토않다고 본다. 미국 캘리포니아 공대가 실시한 한 실험결과를 보면 더욱 그런 생각이 짙다. 실험인즉, 캘리포니아 공대는 같은 와인을 가지고 한 병에 10만원이라고 했을 때와 만원이라고 했을 때 뇌의 '즐거움'이 어떻게 반응하는가였다.

결과는 같은 와인이었지만 와인을 비싼 것으로 알고 마셨을 때 뇌의 즐거움 중추가 활발했다는 것이다. (비싼 가짜 약이 싼 가짜 약보다 효과가 높다는 연구결과로 '이그노벨' 의학상을 받은 사람도 있다. 미국 듀크대 댄 아릴리 교수)

우리 집 형편, 환경적 고려는 안 하고 A급만을 선호하고 홍청대는 네게는 즐거움의 중추가 활발히 활동해 부자들만큼 될지 모르겠다. 즉 '1+1'이라든가 네 어머지는 '알뜰' 상품을 구매하는 데 이골이 난 모양이다. 출근부에 도장찍듯 하루도 빠짐없이 단골로 가는 한 대형 마트에서는 네 어머니가 알뜰 상품 구입을 잘하는 걸로 정평이 유명하다고 한다.

그런데 문제는 네가 '1+1'의 알뜰 상품으로 구매한 과일 등을 보고 군침도 삼키지 않는다는 것이다. 말도 안 된다는 생각이 든다. 너는 우리 집이 영국 작가 제임스 매슈배리의 소설 『피터팬』에 등장하는 '네버랜드'로 생각하는가 싶어 참말로 어이없다.

네버랜드에 등장인물은 요정, 팅커벨, 애꾸눈 해적 후크 선장 등이다. 네버랜드는 현실과는 동떨어진 이상 세계다. 즉 해와 달이 여러 개이다. 시간 개념이 모호하다. 시간을 정지해 놓은 거나 다름 없다. 네버랜드에 마천루 네버파크 정상은 도깨비방망이나 솔로몬 왕에 버금한다. 네버파크 정상에 올라 바란다면 '금 나와라 뚝딱' 하면 나타나는 식이라고 할까 뭐든지 볼 수 있기 때문이다.

'팝의 황제' 마이클 잭슨 저택이 네버랜드라고 한다. 마이클 잭슨은 1988년 골프장을 매입해 네버랜드를 조성했다고 한다. 그의 저택 네버랜드는 롤러코스터 등 놀이시설이 자그마치 24개나 된다고 한다. 동물원도 있고, 대기업이 운영하는 우리나라의 '에버랜드'라고 생각하면 될 것 같다.

마이클 잭슨은 해가 지지 않는 유구한 네버랜드를 꿈꿨을 것이다. 하지만 2009년 6월 25일 마이클 잭슨은 죽었다. 그가 죽었지만 그의 네버랜드 꿈은 진행형이고 영원히 유효할 것이다.

그는 그가 죽기 이틀 전에도 영국에서 있을 쇼를 위해 리허설을 열정적으로 해냈다고 한다. 그는 성형에 따른 다소 모호한 정체성이 화두가 되지만 색즉시공일 것이다. 그의 끊임없는 정진이나 규모를 벤치마킹해야 할 것이다.

즐거움이라는 것은 축제라고 할 수 있을 것이다. "축제가 없는 민족은 살아서도 산목숨이 아니고 죽어서도 고이 잠들 수 없다."는 말이 있다. 축제는 민족이든 개인이든 중요하기는 마찬가지일 것이다. 축제가 춤을 추는 삶을 꿈꿔라. 내가 이따금 "내가 반면교사여야 한다."고 하는데 나는 정작 축제가 뭣인지 모른다. 네 어머니 말대로 "사는 건지 무엇인지 모르겠다." 나는 토요일도 없고 일요일도 매한가지다. 여행이 무엇인지 모른다. 결혼 기념일 이벤트도 없다. 다층적 사회에서 계층이 낮다 보니 하릴없는 거란다.

'주식투자의 귀재' 워런 버핏이 뉴욕타임스에 기고했다는 글을 적는다. 워런 버핏은 가장 위대한 하키 선수로 이름난 웨인 그레츠키 어록을 인용한다. "난 하키퍽(공)이 있던 곳이 아니라 있을 곳을 향해 스케이팅합니다."

오늘 워런 버핏 말을 여러 번 인용했는데 성공한 사람들을 벤치마킹할 필요가 있을 것이다. 등글기가 필요할 것이다. 그리고 네가 무엇에 베테랑이 되고 자신만만하면 기생한 벤치마킹, 등글기, 언제 그랬냐는 듯 도마뱀꼬리 잘려나가듯 군더더기를 떼게 될 것이다.

그리고 "예술은 모방이 끝나는 곳에서 시작한다."라고 오스카 와일드가 말했듯 정말로 네 인생은 예술적으로 시작될 것이다. 감정을 좌지우지하는 간뇌의 활동이 분주할 것이다. 즐거움의 축제 때문에 말이다.

칼럼비아대 경영대학원 윌리엄 더건 교수가 동아일보 김창덕 기자와 만나 했다는 말을 적는다. "어설픈 모방은 창조를 부르지 않는다. 남의 아이디어를 온전히 훔치되 반드시 나만의 것으로 만들어야 한다."

한편 동아일보를 보면 윌리엄 더건 교수는 컬럼비아대 대학원에서 『전쟁론』의 저자 카를 폰 클라우제비츠의 말을 인용한다. "나폴레옹의 성공전략은 냉철함을 바탕으로 역사적 사례에서 얻은 조각들을 완전히 새롭게 끼워 맞춰 만든 것이며 피카소 역시 남의 아이디어를 훔쳐 창조적으로 재생산 함으로써 그만의 화풍을 완성했다."

굴참나무와 인간의 욕망

동화 『굴참나무의 마지막 노래』(지은이 이붕, 출판 파랑새 어린이)가 떠오른다. 당산나무인 굴참나무에 치성을 드리는 사람들이 많은데 어느 날 돈 많아 보이는 신사가 찾아와 소원을 빌었다. 그는 굴참나무에 사람으로 치면 만병통치약 불로초라고 할 수 있는 영양제를 선물했다.

굴참나무는 영양제를 맞고 신사의 말에 넘어가 그의 소원을 들어 주었다. 산 아래 마을을 개발하는 소원이었다.

개발이 시작돼 마을에는 현수막이 걸리고 포크레인 소리가 요란했다. 마을 사람들은 하나둘씩 이주를 하고 평화롭고 자연을 잘 간직했던 마을이 피폐해지기 시작했다.

굴참나무도 기를 상실해 영험의 능력을 잃어 되돌릴 수 없는 일이 돼 버린 듯했다. 시간이 갈수록 후회하고 괴로워하는 참나무는 효녀 심청이 왕비가 돼 맹인들의 연회를 마련해 그의 아버지를 만나 '아버지'를 절규하며 부르자 그의 아버지 심학규가 눈 뜬 격이라고 하기에는 미흡한데 "아버님, 어디 불편하세요? 어서 진지 드세요."라고 염려스럽게 어린 참이 엄마 굴참나무가 말하자 한동안 유구무언이었던 할아버지 굴참나무는 입을 열었다.

"그 뒤로 소원을 듣지 않기로 했단다." 이린 참이가 "할아버지, 지금이라도 좋은 소원을 들어주면 안 되나요?" "안 되는 것은 아니지만… 이제 내겐 그런 힘이 없단다." "그래도 한번 해 보세요." "해 보나 마나 안 돼. 하기 싫을 걸 자꾸 나더러 하라고 하면 싫다!" "헤헤…. 할아버지도 하기 싫은 일 하라고 하면 싫지요? 나도 그러는데."

요컨대 "하기 싫은 일 하라고 하면 싫지요."이다. 정작 해야 할 공부이건만 실로 하기 싫은 게 공부라고 한다. 그렇듯 하기 싫은 공부를 하라고 해서 안 하는 것은 아닌지?

만약 "공부해라. 공부해라." 한다고 해서 안 하는 것이라면 착각이고 착시현상일 것이다. 아직 철이 안 들었다는 방증일 것이다. 대기만성형이라는 것이다.

"대기만성"이라고 일부러 심드렁하게 다소 부정어적으로 말하는 경우가 있는데 '큰 그릇을 만드는 데는 시간이 많이 걸린다.'는 뜻으로 '크게 될 사람은 늦게 이루어진다.'는 것을 말한다.

대기만성인 네가 만추가경을 위해 네 꿈이 별박이가 되도록 설레야 할 것이다. 비상하는 데는 좌우 날개를 퍼덕여야 날 수 있듯 꿈을 향해 마음이 움직이고 따라서 행동도 맞장구를 쳐야 할 것이다.

"군자는 말은 서툴더라도 행동은 민첩하고자 한다."는 공자의 말이 퍼뜩 떠오른다. 선 이야기 하나 추가하자.

선문에 나오는 줄탁동시(啐啄同時, '톡톡 탁탁이 동시')라는 말이 있다. 품고 있는 알이 부화할 때 알 속에서 세상 밖으로 나가기 위해 안에서 쪼는 것을 줄(啐, '톡톡')이라고 하고 이때 때를 같이해 밖에서 어미가 쪼는 것을 탁(啄, '탁탁')이라고 한다고 한다.

요컨대 안에서 쪼는 곳을 밖에서도 쪼아야 병아리가 부화한다는 것이다. 예컨대 서로가 다른 대척지를 쪼아 봤자 부화하는 데 아무 소용이 없다는 것이다. 줄탁동시는 한 생명이 태어나느냐 마느냐를 말하는 것이다. 거듭되는데 마음이 있는 곳에 행동도 같이 해야 한다는 것이다.

그리고 마찬가지로 가정에서도 줄탁동시는 현 정부 들어 화두가 되는 소통일 것이다. 그런데 동문서답은 차치한다 하더라도 양이 안 찬듯 네가 마이동풍이니 나는 계절로 말하면 소통이 갈수기이다. 그래서 나는 인디언들이 기원하는 기우제를 지내는 까닭에 언젠가 됐건 비가 온다는 것이기 때문이다. 지금은 마이동풍으로써 불통이지만 머잖아 소통할 수 있을 것이라는 생각에서다.

속담에 "어른 말을 잘 들으면 자다가도 떡이 생긴다." 말이 있는데 중국 베이징 올림픽 때 금메달을 딴 장미란 역도 선수가 얼마 전 한 대학에서 강의할 때 그의 어머니가 함께 나와 "미란이가 이렇게 크게 된 건 부모의 말을 잘 따라 줬기 때문이랍니다." 동화 『굴참나무의 마지막 노래』에 어린 참이가 한 말 하나를 골라 적는다. "할아버지 신경 쓰지 마세요. 듣고 나면 하기 싫은 일도 해야 하잖아요."

가족의 소통과 변화

고등학교 2학년인 네가 초등학교 때까지는 그래도 유순했으며, 고분고분했다고 할 수 있을 것이다. 중학교에 들어가더니 유순하고 고분고분하던 기색이 바뀌기 시작했다.

너를 '오냐오냐'하며 받아주고 키웠다는 말을 듣곤 해서 그런지 네게는 도무지 무서운 사람도 없고 어른도 없는 식이다. 네게는 내가 무섭느냐? 네 어머니가 무섭느냐? 도대체 말을 해도 씨알이 먹혀들지 않으니 말이다. 숲을 제대로 알려면 먼 데서 봐야 알 수 있다는 것처럼 등잔 밑이 어둡다고 나보다는 지근지처에서 말해주는 말이 더 적확할 수 있을 텐데 '오냐오냐'한 게 주요한 원인이라면 맹세코 후회한다.

불요불굴한 너인데 '부드러운 것이 능히 강한 것을 이긴다'는 유능제강이 절실하다. "강한 자가 이기는 것이 아니라 이긴 자가 강한 것이다."

요컨대 어른이라는 것은 파워가 세서 어른이 아니다. 학교에서도 직장에서도 위계가 있고 한 가정에서도 위계가 있다는 것을 알아야 할 것이다.

요즘은 핵가족화 돼있지만 대가족시대에는 노쇠할망정 할아버지, 할머니가 한 가정의 중심축이고 좌장이었다. 더 말하면 사람은 경륜과 연륜을 기반으로 해 확립할 것이지만 짐승 동물은 힘에 의

한 서열이라는 것을 생각해 볼 필요가 있을 것이다.

얼마 전 너는 무단으로 며칠간 학원을 가지 않았다. 뒤늦게 안 사실인데 성적이 부진해 학원 선생님에 야단을 맞고 심드렁한 네가 학원에 안 갔던 것이다. '명심보감' 훈자편을 보면 여영공이 말하기를 "집안에 지혜로운 어버이와 형이 없고 밖에 엄한 선생님과 친구가 없으면 능히 뜻하는 것을 이룰 수 있는 사람이 드물 것이다." 학교에서고 학원에서고 집에서고 상하관계를 어떻게 해야 하는가를 가늠할 줄 믿는다.

아직 네가 국가가 정한 법률적으로는 성인이 안 됐지만 체격만큼은 성인이 다 됐다고 할 수 있을 것이다. 그래서 네가 '버티기 작전', '떼법'을 쓸 때면 힘에 논리를 펴는 듯하다. 동물들이 힘을 바탕으로 '제왕'이 되려고 하는 것처럼 말이다.

배관이 막히면 온수가 원활히 순환할 수 없어 따뜻한 방을 기대하지 못하는 법인데 마찬가지로 네가 '버티기 작전', '떼법'을 밥 먹듯 하면 위계질서, 소통은 요원해질 것이다. 버티기 작전 떼법은 지금의 소통을 방해하는 매개체가 되지 못할 뿐더러 미래에 악영향을 미치는 요소일 것이다.

게다가 컴퓨터 게임은 불통, 먹통에 부채질하는 꼴이다. 컴퓨터 게임에 열중할 때는 마이동풍의 극치니 부채질하는 꼴이라고 아니할 수 없다. 게임만 좇을 때 현재의 소통이 손톱만큼도 기생할 수 없고 내일의 소통마저도 요원지화해 씨 말리는 꼴일 것이다. 불씨라도 남겨둬야 할 판이다. 마이동풍이 고착화되기 전 경계해야 할 것이다.

언필칭 말하다시피하는 몽골의 칭기즈 칸은 자신의 이름도 괴발개발하게라도 썼을지 모르겠는데 경청의 능력 때문에 세계를 정복했다고 한다.

지금 미국 대통령 버락 오바마는 연설을 잘하는 것으로 알려져 있다. 연설을 잘하는 오바마도 경청의 능력이 남다른가 보다. 예컨대 오바마는 토론에서 남에 말을 진지히 듣고 기회를 잡아 자신의 주장을 편다고 한다. 오바마의 『담대한 희망』이라는 책에는 유명한 연설문이 있다. 그 책이 집에 있다. 읽어 봤으면 한다.

인터넷, 디지털화 등 통신문명의 발전은 빛의 속도만큼이나 버금가는 듯하다. 요즘을 '글로벌시대', '디지털시대'라고 하는데 참말로 세계적 커뮤니케이션 통로가 하늘이 모자랄 만큼 높이 치솟아 있을 것이다.

하지만 무시로 컴퓨터 게임에 빠지는 네게는 컴퓨터가 커뮤니케이션의 매개가 되고 삶의 활력소가 될지는 모르지만 우리 집 소통의 광장인 마루는 그야말로 유명무실하다. 소통해야 할 커뮤니케이션이 단절이 돼 먹통이 되고 있으니 유명무실하다고 아니할 수 없다는 것이다.

네가 만드는 버티기 작전 떼법은 대나무 같다는 생각을 해본다. 대나무는 속이 텅 비어 파이프 같아 소통할 수 있는 통로 같은데 마디마다 칸막이를 쳐 겹겹이 수십 층으로 닫아놓은 것 같으니 말이다.

한 양조회사 홍보이사가 '담배인삼신문'에 쓴 칼럼이 언뜻 떠오른다. 그는 홀로 지방에서 1년을 근무하고 지방 근무가 연장될 것 같아 초등학교 3학년 딸에게 "아무래도 아빠가 1년은 더 떨어져서 지내야 할 것 같다."고 말했더니 "아빠 그러면 회사를 경찰에 고발할 거야."라고 딸이 말해 이유를 물었더니 "회사가 가정을 파괴하니까."라는 딸의 대답이었다고 한다.

그로부터 3년가량 지방근무를 했을 쯤 상경하게 될 것 같아 딸에게 "아빠가 내년엔 서울로 올 것 같다."고 말했더니 3년 전과는 딴판으로 "아빠 1년만 더 있다가 오면 안 돼."라는 딸의 말을 듣고 이유를 물었더니 "이제 익숙해져서 괜찮아. 그리고 아빠가 오면 잔소리할 거잖아."

'자식은 품안에 들 때 자식'이라는 속담이 불현듯 떠오른다. "자식은 한 달에 한 걸음씩 멀어진다."는 말이 있는데 네 태도를 보면 공통분모이고 만고불변의 천륜도 한달에 한 걸음이 아니고 그 몇 배의 걸음이 될 것만 같다. 부자유친이라고 '아버지와 아들의 도(道)는 친애에 있다.'고 한다. 나는 기필코 노력한다. 한 달에 한 걸음씩만 멀어져 가라고, 누가 그랬다고 한다. 자녀와의 거리를 "죽이 식지 않은 정도의 거리가 돼야 한다."

중국 베이징 올림픽에서 금메달을 딴 역도 선수 장미란의 어머니가 한 말을 바로 앞서 썼는데 잉크가 마르기 전에 또 적는다. 장미란 선수 어머니는 장미란 선수가 한 대학에서 강의할 때 같이 나와 "미란이가 이렇게 크게 된 건 부모의 말을 잘 따라 줬기 때문이랍니다."라고 한 말을 또 적는 건 세계 최고가 돼서가 아니고 말 잘 들은 게 부러워서다.

오바마 대통령이 2009년 7월 16일 뉴욕에서 열린 NAACP(유색인 종지위 향상을 위한 협회) 100주년 기념식에서 학부모들에게 "집에서 X박스(게임기)를 치우고 아이들의 취침시간을 관리하라. 학부모 모임에 참가하고 책을 읽어주고 숙제를 도와주라."며 "아이들이 큰 뜻을 품게 하라. 아이들이 래퍼(rapper)만이 아니라, 과학자, 기술자 의사, 교사, 대법관, 대통령이 되겠다는 열망을 갖도록 하라"고 말했다고 한다.

최고의 가치를 뿜어내는 사람이 되어라

사랑하는 아들 동구에게

네가 '탑클래스 기숙학원'에 머문 지가 어언 닷새째 되는 날이다. 그동안 건강히, 미래를 향해 정진하는 것으로 믿어 의심하지 않는다.

사람은 어떤 계기가 중요하다고 하는데 '탑클래스' 경험이 네 삶에 무게 있는 '가치투자'가 돼 용기가 업그레이드 됐으면 한다. 그래서 탑클래스 경험에 방점이나 밑줄을 친다면 나는 한량없이 좋겠다.

그리스 역사학자 헤로도투스는 "사람은 자신과 싸우기 시작할 때 진정한 가치를 뿜어낸다."라고 말했다고 한다. 심리학자 에이브러햄 매슬로우는 "인생의 궁극적 목적은 능력이 닿는 한 최고의 사람이 되는 것"이라고 말했다고 하는 것처럼 네가 네 자신과 싸울 때 비로소 최고의 가치를 뿜어내는 사람이 될 것이다.

머잖아 장마는 지나갈 것이고 제철 만난 더위가 기승을 부릴 것이다. 더위는 학습하는데 장애가 될 수 있고 건강에도 불청객이다.

국경 없는 글로벌 경쟁시대에 학습이 더욱 진지해져 학습에 한껏 매진해야 하는 것이지만 학습보다 더 중요한 것은 건강일 것이다. 기승을 부릴 더위에 맞서 건강에 유념하길 바란다. 금요일 아침, 아버지가 간단히 썼다.

여름 방학 때 네가 탑클래스 기숙학원에서 공부하고 있을 때 택배로 책과 노트를 보내면서 동봉한 글이다.

네가 집을 떠나 가장 길게 난생처음 생활한 탑클래스 경험은 "오바마스럽다." (캘리포니아대 슬랭사전에 등재된 신조어로 '너참멋지다(cool)'는 뜻)

미국에는 '홈런왕' 베이브 루스가 있다. 야구 선수 베이브 루스는 투수가 던진 공의 실밥까지 정확히 식별해 공을 쳤다는 전설이 있다.

그는 공을 잘 치기 위해서는 날아오는 공을 제대로 봐야 한다고 생각하고 레코드판이 회전할 때 바늘 끝을 보고 배트하는 자세로 연습했다고 한다. 즉 움직이는 바늘이 날아오는 공이라고 생각하고 바늘에서 시선을 떼지 않고 연습했다는 것이다.

말을 돌리자. 네가 초등학교 4학년 일이다. '밤새 백리 걷기 체험'을 했었다. 초저녁에 수원에서 걷기를 시작해 아침이 돼서 서울(영등포)에 도착했었다. 거리가 40㎞였다. 탑클래스 기숙학원에서 영등포까지 약 50㎞되는데 네가 "서울까지 가는데 걸어서 얼마나 걸리냐?"고 한 말이 생각이 나고 네가 초등학교 때 체험한 밤새 백리 걷기가 생각이 나 적었다. 아참! 서울까지 도보로 얼마나 걸리냐고 했을 때 "하루면 충분할 것이다."라고 했었지. 한 걸음 한 걸음 걷노라면 목적지에 도달하는 게 불변의 진리라고 한다.

"1미터도 못 되는 걸음으로 아침부터 걸었더니 산을 세 개를 넘었어요. 걷는 것이 무서운 거예요."(알피니스트 박영석)

어그러진 말이 궤도를 잡는 것 같은데 야구 선수 베이브 루스가 레코드판이 회전할 때 바늘에서 시선을 떼지 않은 것처럼, 탑클래스 목적은 몰입에 있을 것이다. 네게 몰입해야 할 와신상담의 마지노선이 있다. 앞으로 1년 남짓이다.

'삶은 반환점이 없다.'고 한다. 삶을 마라톤에 비유하기도 한다. 삶은 끊임없이 전진해야 하는 것이지만 한번 지나가면 그만이라는 의미도 있을 것이다. 더 말하면 간혹 마라톤 중계를 보면 반환점을 돌아 왔던 길을 다시 뛰는 경우가 있는데 삶은 그게 아니라는 것이다.

그리고 반환점을 돌아 출발지점의 결승선을 통과하는 것을 보노라면 격조로 따져 마라톤의 진수는 아니라고 생각했었다. 반환점 없는 마라톤이 보기에 더 좋다는 말이다. 삶은 축음기의 로봇팔에 달린 바늘이기도 할 것이다. 이따금 말하곤 하는데 10대 때 느껴지는 한달은 빠르지만 1년은 느리게 느껴지고 반면 어른이 느끼는 한달은 느리고 1년은 빠르게 느껴진다고 하는 것처럼 레코드판이 회전할 때 초기는 레코드판의 움직임이 느리게 돌지만 안으로 가면 갈수록 빠르게 빠르게 도는 것과 같다는 것이다. 레코드판이 회전할 때 판위에 올려진 바늘은 국악에 산조와도 비유된다. 산조는 중모리, 자진모리, 휘모리로 이어지는데 느리게 시작해 차츰 급하게 나가다 그도 모자라 더 빠르게 휘몰아 치기 때문에 카테고리라는 것이다.

거미가 바깥쪽에서 안쪽으로 집을 짓는 것과 회전하는 레코드판 위 바늘과 국악의 산조는 점진적으로 빠르게 진행된다는 공통점이 있다. 미물이 만드는 것과 인간이 만드는 메커니즘이 우합치고는 참말로 기이하다는 생각이 앞선다.

본능적인 건지 모르겠다. 뭇사람들이 나선형을 그릴 때 중원을 시작해 그린다는 것 말이다. 다시 말하면 쏜살 같이 지나가는 시간을 애써 막아보겠다는 것, 쏜살같이 지나가는 시간을 중화화 하기 위한 본능적인 발로인지 모르겠다.

옛날에는 방학을 맞이하면 학생들이 "야, 방학이다!"가 일색이었다. 하지만 요즘은 "음, 방학이래…."라고 한다고 한다. "음, 방학이래…."는 83%가 대학에 진학하는 시대에 버거운 도정의 발로일지 모른다는 생각이 든다.

되레 방학이면 꽉 짜여진 시간표로 말미암아 방학에서 얻어지는 잉여시간을 송두리째 잃었다는 풍자일 것이다.

방학 때면 강남 일대의 학원 주변에는 문전성시를 이룬다고 한다. 여파로 방 구하기가 어렵다고 한다. 지금 방학인데 네가 탑클래스 기숙학원에 체류하는 것도 맥락을 같이 한다.

네 어머니와 나는 네가 탑클래스 기숙학원에 머문 지 2주가 되던날 면회 갔다. 그때 네가 말했다. "반 학생이 처음에는 31명이었는데 지금은 26명으로 줄었다. 중도 포기한 5명은 학원이 마음에 안들어서 아니면 견뎌내지 못하고 그만두었다."고 했다. 그리고 어제 새벽 3시에는 탈출한 학생이 있었는데 붙잡혀 왔다고 했다.

네가 머리털 나고 집을 떠나 가장 긴 생경한 생활을 하는 것을 대견하다고 칭찬한다. 추임새도 넣는다. 네게 거듭 "오바마스럽다"고 말한다.

그만두고 탈출하려다 붙잡히는 등 중도포기를 생각하니 "어디서 출발하느냐가 아니라 어디서 멈추냐가 중요하다."고 말한, 베트남전에 참전해 팔다리를 잃은 한 미국인이 마라톤 풀코스를 며칠 만에 완주하고 한 말이 생각이 났다. 또 영국의 단거리 육상 선수 데릭 레드먼드가 생각났다. 그는 1992년에 열렸던 스페인 '바르셀로나 올림픽' 400미터 준결승전에서 결승선을 눈앞에 두고 넘어졌다고 한다. 오른쪽 무릎 관절을 감싸고 있는 근육이 끊어진 게 원인이었다고 한다. 넘어져 통증을 호소하는 그에게 의료진이 급히 달려가 응급치료를 시도했다. 하지만 그는 한사코 마다하고 근육이 끊긴 다리를 끌며 달리려 했다.

이때 관중석에서 상황을 목도한 아버지가 달려나와 달리는 것을 포기할 것을 종용했다. 하지만 아들 데릭 레드먼드는 아버지에게 "아닙니다. 반드시 해내야 합니다."라고 순위도 좋지만 완주가 중요하다는 의욕을 보였다. 이에 아들의 완고한 고집에 마지 못한 아버지는 좋다 그럼 우리 함께 가자며 부축해 아들을 일으켰다. 뜻하지 않게 부상으로 말미암아 결승진출은 좌절됐지만 육상 선수 데릭 레드먼드는 아버지의 부축을 받고 결승선을 통과했다. TV로 중계방송을 시청했다. "넘어지지 않고 달리는 사람보다 넘어졌다 일어나 달리는 사람이 많은 박수를 받는다."는 말이 있듯 데릭 레드먼드는 관중들에게서 쏟아지는 박수갈채를 받았다고 한다.

바둑:
언어가 필요 없는 소통의 예술

중국 진나라 때 왕질이라는 나무꾼이 두 사람이 마주 앉아 두고 있는 바둑을 구경하다 어찌나 재미났던지 한량없이 구경하다 옆에 놔둔 도끼자루가 썩는 줄도 모르고 있었다는 전설을 갖고 있는게 바둑이다.

얼핏 보면 바둑은 어마어마하게 단순하다는 생각을 해봤다. 왜냐면 바둑은 사석을 따내는 것을 제외하면 숨을 쉴 수 있는 곳이라면 제약 없이 어느 곳 아무 곳이나 둘 수가 있지만 장기는 그렇지 않아서다. 즉 장기는 장기판 위에 가로지른 경계선을 두 나라가 마주하고 있다.

임금을 필두로 신하, 병졸, 병기가 있는 형국인데 임금은 궁 안에서만 다닐 수 있고 한칸씩만 다닌다. 한 나라를 쥐락펴락하는 임금이 궁 안에서 한 칸만 가는데, 궁안의 신하도 궁 안에서 한 칸만 간다. 마(馬)는 날 일(日) 자, 상(象)은 쓸 용(用) 자로 갈 수 있는데 멱이라고 하는 가는 길을 제약하는 게 있다. 만약 멱에 턱이 놓이면 갈 수 없는 제약이라는 것이다. 차(車)는 핸들이 꺾이지 않는 듯 좌, 우회전을 못 하고 직진만 한다. 한 칸, 두 칸 거리 제한은 없다. 포(包)는 요즘으로 따져 미사일 격인데 차처럼 거리제한은 없지만 필히 장애물 하나를 넘어야 한다. 절대 장애물 두 개는 넘을 수가 없다. 하나라도 적군의 포가 됐건 아군의 포가 됐건 포는 넘지 못한다. 그뿐아니니다. 졸(卒)과 병(兵)은 한 칸씩만 갈 수 있는데 전진을 위한 후퇴도 못한다. 그래서 장기는 바둑에 비교해 심오한 메커니즘은 족탈불급이지만 되레 복잡성은 난해한 것 같다.

바둑을 '우주의 축소판'이라고도 하고 '인생의 축소판'이라고도 하는데 두 마리 거미가 주어진 틀 안에서 거미줄을 지어가며 삶의 경쟁을 벌이는 듯하다.

즉 거미가 집을 짓는 데는 풍수지리가들이 보는 패철처럼 먼저 중원을 기점해 씨줄을 4방, 8방 등으로 자로 잰듯하게 일률적이다 싶을 정도로 연결하는데 바둑에서 포석이라는 생각이 든다. 그리고 날줄을 바깥쪽에서 시작해 안쪽으로 차츰차츰 좁혀들어가는데 바둑이 포석을 마치고 날 일(日) 자, 눈 목(目) 자 등의 걸침을 기반해 안쪽으로 시나브로 파고드는 경향이 절대적이기 때문이다.

프로 바둑이 요즘은 흑, 백에 주어진 시간이 각 3시간도 있고 1시간 등이 있다. 하지만 얼마 전까지만 해도 흑, 백에 주어진 시간이 각각 5시간이 보편적이었다. 바둑기사가 장고에 들어가면 한 수를 두는데 한두 시간 할애하는 예가 허다했던 것 같다.

바둑에는 '장고파 두 사람이 맞붙어 대국하면 누가 지칠까?'라는 재밌는 에피소드가 있는데 정작 지치는 사람은 대국자일 테지만 정답은 관전하는 사람이라는 말이 있다.

심오한 경지의 비유인 듯한데 메커니즘의 극치라는 생각이 든다. 바둑을 수담이라고도 하는데 글로벌 시대를 가리켜 '국경이 없다'

고 하듯 바둑이야말로 실로 국경이 없다고 생각해 본다.

까닭은 여타 게임 중에는 말이 안 통해도 할 수 있는 게 있긴 하지만 바둑을 수담이라고 하는 것처럼 바둑은 언어가 안 통해도 둘 수가 있고 승부를 결정하고 나서 복기할 때 수담만으로도 충족 요건이 충분해 얼마든지 소통할 수 있기 때문이다.

언어로 따져 세계적 공통어인 영어와 동류는 되는 것 같다.

바둑을 인생의 축소판이라고 하는 바둑, 바둑판에 나있는 가로세로 각각 19줄의 줄을 미련 없이 깡그리 지워버리고 고무줄보다 50배나 더 질기고 강철보다 더 강하다고 하는 거미줄로 동아줄이 되게 해 오리무중인 미래를 시뮬레이션하며 시뮬레이터로 그려 보면 어떨까? 네가 바둑 실력은 저급이지만 초등학교 때 바둑학원도 다닌 적 있고 바둑의 개념이나 원리를 이해할 만하니 충분할 것이다.

훈련을 마치며

대한민국 군인이 되어 훈련을 마치고 수료식을 하는 아들에게

'찜통 더위'는 찌는 듯한 더위를 말하는 것이지만 2015년 여름을 이르는 말이다. 유난히도 무더운 여름 그렇지만 선선한 바람이 서서히 더위를 밀어내는 낌새가 차츰차츰 있어 보인 지 며칠째이다.

너의 훈련에서 비롯됐다고 할까 너의 어머니가 찜통더위의 여름을 나느라 더위와 참말이지 맞딱뜨렸다. 네가 훈련받을 때 많이 흘렸을 땀처럼 너의 어머니도 아마 많은 땀을 흘렸을 것이다. 어쩜 네가 흘렸을 땀보다 더 많이 흘렸을지도 모른다는 생각을 갖는다. 네가 훈련 받았듯 너의 어머니도 훈련받았다고 해도 될 듯하다. 가뜩이나 땀을 많이 흘리는 너의 어머니가 더위를 이기느라 고생을 많이 하셨다.

이 말은 올여름 에어컨을 한 번도 가동하지 않았다는 말이다. 왜! 에어컨을 가동하지 않았을까.

너의 어머니에 에어컨을 틀자 하면 극구 "안 틀어도 된다."고 했다. 예년에 못봤던 더위인데도 불구하고 "(에어컨을)안 틀어도 된다."는 말은 훈련받는 너를 생각한 말이 명확할 것이다. 기쁨은 나누면 배가 되고 슬픔은 나누면 반이 된다는 말이 있듯 훈련 받는 아들도 있는데 땀쯤이야 흘러도 괜찮다는 말이다. "이 무더운 날씨에 에어컨을 안 트느냐?"고 말하는 사람이 한둘이 아니었다. 에어컨

이 설치되어 있는 것을 미처 모르고 "에어컨을 안 다느냐?"고 하는 사람도 있었다. 이렇게 돈 아껴 뭐 하느냐는 식으로 회자시키는 사람도 있었다.

내일 오전 서상국 육군훈련소장님의 지휘하에 수료식이 있겠다. 육군훈련소에서 훈련 받은 답례로 신병들에 이병의 계급장을 달아주시기도 하겠다. 서상국 장군님을 7월 30일자 동아일보 1면에서 사진으로 뵌 적이 있다. 우리나라 군대에서 처음으로 7월 29일 육군장병 군복에 태극기가 공식적으로 부착되는 관련한 사진이었다. 서상국 장군님이 수료식이 있었던 이 사진이었다. 서상국 장군님이 수료식이 있었던 이날 훈련을 마친 손봉근(한국전쟁 참전 용사인 손용호 할아버지가 손자인 손봉근 오른쪽 어깨에 태극기를 달아 주시고 있다)의 군복상의 왼쪽 가슴에 이병 계급장을 달아주시는 사진이지 않나 싶다.

수료식에 참석하지 못해 아버지로서 대단히 미안한 마음 이루금할 수 없다. 거듭 미안한 생각을 갖는다. 아무쪼록 너그러운 양해를 구한다. 훈련을 받느라 고생 많았다.

아참! 엊그제 막내 고모님하고 통화했다. 네게서 "편지 받았다."는 소식 듣고 "후반기 교육 때 편지 쓰려는가 생각했는데 편지 받았네."라는 말을 했다.

최○○에게 굉장한 고마움을 표시해야 될 것 같다. 어마어마한 정성 없이는 그렇게 될 수 없다는 생각이 든다.

"○○이는 인터넷으로 쓰는 편지를 잘 모아 두었다. 책을 만들면 되겠다."는 말을 너의 어머니에 한 적이 있다.

이번은 말이 길어지는 게 적합하지 않을 법인데 길어졌다는 생각이 든다. 후방기 교육에 또 자대에 가면 훈련소에 있었던 것처럼 경험하지 않은 생경한 생활일 것이지만 너의 능력으로 보아 어느 누구보다도 적응력이 뛰어나리라고 본다. 건투를 바란다.

을미년 여름, 너의 수료식을 맞이하여 아버지가 쓰다

가출과 출가는
같은 한자가 앞뒤로 뒤바뀌어 있을 뿐이다

동구에게

비교하기에 부적합성이 다분하다만 "산은 산이요. 물은 물이로다."(성철스님)라는 말만큼이나 아리송한 말이 있다.

집을 나간다는 공통점이 있는 가출(家出)과 출가(出家)라는 말이다. 같은 한자를 놓고 달라도 그 뜻이 너무 상이하니 아리송하다는 것이다. 다시 말하면 가출과 출가는 같은 한자가 앞뒤로 뒤바뀌어 있을 뿐이다. 하지만 엄청난 차이로 대척지 같다. 글자만 봐서는 그 뜻이 예를 들어 원숭이와 고릴라 같기도 하고 사촌격 같기도 하고 최선과 차선일 법한 말 같기도 한데 굉활히 상이하다는 말이다. 가출은 책임지지 않고 집을 떠난 것을 의미한다. 무책임하기가 짝이 없는 비굴하고 비천한 행동인 것이다. 출가는 집을 떠나 미래를 지향하는 귀태인 것이다. 생각건대 출가라는 말의 효시가 29세에 출가한 석가모니가 행한 행동이었지 않나 싶다. 출가는 석가모니에 '금강경'만큼이나 대명사일 것이다.

석가모니 같은 출가는 아니어도 그에 준하고 준하는 출가가 정말로 긴요할 것 같다. 네가 지금 집을 떠나 기숙학원에 있는 것도 유학이자 출가인 것이다. 진정히 정진하는 자세가 중요하다. 지난번 내가 네게 보낸 편지에 '눈보라'를 그린 윌리엄 터너 말을 했다. 이에는 도전, 체험, 체득 등 많은 것을 생각할 수 있겠다만 요컨대 집중을 생각할 수 있겠다. 정신 자세 말이다.

"정신일도하사불성(精神一到何事不成)"이라는 말이 있다. "정신을 한 곳에 집중하면 무슨 일이든 이루어지지 않으랴."는 뜻으로 정신을 집중하면 제아무리 어려운 일도 그곳에 도달할 수 있다는 말이다.

이번 휴가 때 네가 "한 학생이 수업시간에 웃다가 발각돼 교실에서 쫓겨났다."고 했다. 엔돌핀이 생긴다고도 하는 웃음. 중국의 군사전략가 손무(손자)에 말을 잇고 싶다. 집중에 더 말하고 싶어서다. 집에는 '손자병법'이라는 책이 있다. 이 책은 군사뿐만 아니라 정치, 경제, 사회 등을 망라해 응용되는 책이다. 필독서이다. 지침서이다. 이 책은 동양에서는 두말할 필요 없고 서양에서 조차도 관심의 대상이라고 한다.

생각이 얼마만큼 중요한가의 손자와 관련한 이야기가 있다. 궁녀를 전사로 훈련한 이야기다. 제나라 사람인 손자가 오나라왕 합려의 허락하에 무작위로 선발한 180명의 궁녀를 종렬과 횡렬로 정렬케 한 뒤 제식훈련에 돌입했다. 예컨대 우향우 좌향좌 뒤돌아서 등 궁녀들이 시큰둥히 미소를 쳤다. 비웃음 치는 와중에 제식훈련이 진전될 리 없었다. 모범을 보여야 할 90명씩 두 무리로 나눈 두 대장마저 매한가지였다. 손자는 두 대장을 끄집어내 군법에 따라 일벌백계로 조치하고, 궁녀들을 훌륭한 전사로 만들었다는 이야기다.

휴가 오기 전 네가 장염에 걸렸다고 했다. 병원에 가 치료를 받았다고 했다. 학습보다 더 중요한 건 건강이다. 건강에 유념해야한다. 더욱이 집 밖에 있을 때 건강을 소홀해서는 안 될 것이다. 농구도 건강에 아주 좋은 수단이라고 할 수 있겠다. 농구는 19세 몸매를 유지하는 비결이 되기도 할 것이다. 19세 몸매를 유지해야 평생동안 건강하다는 말이 있다. 하지만 지금 네게 농구가 절실한가는 곰곰이 따끔히 생각해 분별할 필요가 있어 보인다.

아버지가

소중한 사람에게 전하는 말

동구에게

거푸 글로 적는다. 상기시켜 기억되도록 위함이 짙다.

다시금 "얼씨구" 너의 성적 향상에 대한 파이팅이다.

저구지교라는 말을 새겨 우정관계를 도모해야 한다. 맹자는 "천시(天時)는 지리(地利)만 못하고 지리는 인화(人和)만 못하다."라고 했다고 한다. 때를 잘 만나는 것이 에서 얻어지는 것보다 못하고 땅에서 얻어지는 것은 좋은 인간 관계보다 못하다는 것이다.

미국의 커뮤니케이션 전문가 로보트 제노아는 "사람들과 사람들 사이의 모든 문제의 본질은 말"이라고 했다고 한다.

세 치의 혀로 말하는 정제되지 않은 3초의 말이 30년을 가슴아프게 한다는 말이 있다. 말 때문에 정계에서 방송에서 퇴출되는 사람이 있다.

말이 아주 중요하다고 생각한다. 말을 잘해야 한다고 본다. 나는 인터넷으로 네가 하는 학습 태도를 하루면 수차례 보고 있다. 학습태도가 별로이다. 수강태도가 좋지 않다는 말이다. 물론 학습의 강의는 교과적인 게 선재적일 터이지만 여기에는 간간이 우리가 어떻게 살아가야 하는가의 철학적인 게 있을 것이다.

강의를 잘 듣는 것은 성적향상은 물론이러니와 말하는 능력을 강화할 것이다.

네가 '어버이날'을 계기로 보낸 듯한 편지를 받았다. 이 편지 받고 "얼씨구"를 두 번 속으로 말했다. 편지를 읽는 동안 자동 반사적으로도 미시적이나마 미간과 입의 미동이 있었겠지만 곁에 있었던 너의 어머니는 내가 "얼씨구"라고 하는 말을 눈치채지 못했을 것이다.

첫 번째 "얼씨구"는 네가 '학습을 열심히 하겠다'기에 "얼씨구"라고 했고 두 번째 "얼씨구"는 애오라지 썼다는 편지가 엉망이었기에 "얼씨구"라고 조롱했다. 유치원생도 그보다는 낫게 쓸 거라고 생각했었다. 네 어머니에게 유치원생도 이보다는 더 잘 쓸 거라고 말했었다.

편지를 쓸 기회가 많지 않고 인터넷 스마트폰 등에서 야기되는 시대적이라고 하기에는 참말이지 미흡했고 최소한의 성의가 기미조차도 보이지 않았다.

내가 더러 '최선을 다한 꼴찌는 아름다운 것'이라는 말을 할 때가 있다.

'로봇다리'를 이용해 '뚜벅뚜벅' 런던 마라톤 대회에서 풀코스 42.195㎞를 16일 만에 '걸어서' 완주한 클레어 로머스라는 여성이 화제가 되고 있다.

낙마사고로 하반신이 마비됐다는 그녀는 '로봇다리'를 이용해 완주한 후 "내가 해냈어요."라고 말했다고 한다.

어렸을 때 나는 농장을 경영하는 게 꿈이었다. 씨앗도 뿌려봤고 삽목도 해봤고 묘목도 심어봤다. 이때마다 어서 빨리 자랐으면 하는 생각이었다.

조장이라는 말이 있다. 이 말은 부정적인 말이다. 부정적 요소를 부추기는 말이다. 중국에 살았던 어리석은 사람이 어린 나무를 심어놓고 오늘 봐도 내일 봐도 그게 그거 같아 안동답답이의 심정에 빨리 자라라고 뽑히지 않을 만큼 쭉 뽑아 올려 놓아 그 식물이 살지 못한 데서 유래됐다고 한다.

우리의 성장(성숙)을 시각적으로 보기는 난해한 법이다. 피카소는 "이 한줄을 긋는 데 40년이 걸렸소."라고 말했다고 한다.

나이에 'ㄴ(니은)'받침이 달라붙기 시작하면 나이 먹는 속도가 터보제트엔진을 부착한 것 같은 거라고 하면 어떠할지 모르겠다. 이 엔진은 고속항공기 등에 탑재한다.

나이에 'ㄴ'받침이 붙으면 빠른거라고 예로부터 전래되는 말이다. 네 나이가 아직 'ㄴ'받침이 부여되지 않은 거라고 생각한다면 그건 대단한 착각이고 오류일 수 있다. 나이 스물을 약관이라고 하니 말하는 것이다.

세계 최고의 부자 워런 버핏이 있다. 워럿 버핏을 '투자의 귀재'라고 말한다. 그는 투자의 철학을 "첫째 돈을 잃지 마라. 둘째 첫 번째를 절대 잊지 마라."라고 했다고 한다. 시간을 돈이라고 한다. 워런 버핏의 말을 따라 바꿔 말한다. "첫째 시간을 잃지 마라. 둘째 첫 번째를 절대 잊지 마라." 시간은 쏜살같이 지나간다고 한다.

네가 학습했을 거라고 짐작되는 에너지 불멸의 법칙(에너지 보존 법칙)을 돼지저금통에 대비해 보았다. 이것들은 긍정성과 부정성이 동존하는 것 같다. 에너지 불멸의 법칙이라는 제목이나 저금통 안에 든 동전이 불멸이라 할 수 있으니 긍정적이지만 이면에는 생산성 측면의 부정적 요소가 다분히 병존한다는 것이다.

에너지 불멸의 법칙이라는 것은 에너지가 변환하는 경우 외부의 영향을 차단하면 물리, 화학적 변화를 가져와도 에너지 양은 그대로인 것을 말하는 것이다. 즉 무에서 유가 될 수 없고 영향을 주는 에너지 없이는 에너지가 생산되지 않는다는 것이다. 돼지저금통 안의 동전도 마찬가지다. 밖으로 나와 저리의 이자라도 늘어야 한다는 것이다.

은행에 예금을 하면 복리로 늘 것이다. 부의 정의를 알베르트 아인슈타인이 "우주에서 가장 강한 힘"이라고 했다고 한다.

에너지 불멸의 법칙과 '돼지저금통'이 사람이 살아가는데 생산성에 대한 확실한 리트머스 시험지라는 생각을 갖게 한다.

학습은 붕정만리 내일을 향유할 기다림의 산통일 것이다. 아이가 태어나는 데도 산모의 산통이 수반되고 땅을 뚫고 나오는 새싹도 산통을 겪는 법이다.

새싹이 돋는 걸 봤는지 모르겠다. 때로는 놀라울 때가 있다. 진애만 한 게 대지를 쩍쩍 갈라지게 하고 소복이 뚫고 나오니 말이다. 경이롭기가 짝이 없다. 그게 거목이 되기도 한다. 느티나무도 그렇다.

사람들은 두 가지 일을 하면서 산다고 한다. 하고 싶은 일과 해야할 일을 말이다. "사람은 말야. 두 가지 일을 하고 살아야 하거든 하고 싶은 일과 해야 할 일"이라는 이 말은 〈티끌모아 로맨스〉라는 영화의 대화 중에 나오는 말이라고 한다.

루키디데스는 "강자는 할 수 있는 일을 (웃으면서) 하고 약자는 해야 할 일을 (울면서) 한다."고 했다고 한다.

정진해 앞으로 나가려고 하는 자세가 끽긴하다. 경부고속도로를 '산업의 동맥'이라고 했다. 이 도로를 건설할 당시 일부의 반대도 있었다. 똥구멍 찢어지게 가난한 수원 국가로서 국가 재정이 문제라는 것이었다.

보릿고개 시대에 건설된 경부고속도로는 산업도로가 된 터였다. 물동량이 넘쳐났었다. 경부고속도로는 한국이 공여국이 될 만큼 발전하는 데 기저가 됐던 것이다.

사람은 어떤 일에 두려움이 앞서는 것 같다. 전쟁에서 전승한 충무공 이순신 장군도 그의 기록 '난중일기'에서 두려움의 표현이 군데군데 나온다고 하니 그런 생각을 더 갖게 한다. 돌다리도 두들겨 보라고 어쩜 본디 사람은 두려움이 원초적으로 유산이고 지혜의 유전자일지 모르겠다. 아니 자발없는 건지 금시 생각이 바뀐다. 두려움의 유전자를 지닌 것은 아닌 것 같다.

전문가의 말을 빌리면 태어나서 아이로서 얼마동안은 두려움이 없는 것이라고 하니 말이다.

인터넷으로 가끔 '온라인 전시회'를 관람한다. 문명의 수혜자라는 게 불현듯 떠오른다.

윌리엄 터너의 '눈보라'라는 그림이 있다. 이 그림은 윌리엄 터너가 밤의 바다에서 체험을 하고 그린 그림이라고 한다.

윌리엄 터너는 어느 날 밤 어부에게 "갑판 돛대에 제발 나를 묶어 주시오."라는 부탁해서 밤새 묶인 채로 바다를 체득하고 '눈보라'를 그렸다고 한다. 윌리엄 터너는 "나는 진짜 바다의 폭풍 장면을 보여주고 싶었다. 돛대에 몸을 묶은 다음 폭풍을 관람하기 시작했다. 나는 네 시간 동안이나 묶여 있었다. 하지만 그러지 않았다면 폭풍을 그릴 수 없었을 것이다."라고 말했다고 한다.

네가 하는 학습을 체험이고 체득이라 할 수 있다.

경향신문, 조선일보 등의 논설위원을 지냈고 이화여대 교수였고 시인이자 『오늘을 사는 세대』, 『기성의 오솔길』 등의 저서가 있고 최초의 문화부장관을 지낸 이어령 전 문화부장관은 강연 때 '퍼스트 펭귄(첫번째 펭귄)'을 자주 강조한다고 한다. 앞으로 나아가라는 것이다. 두려움을 떨쳐버리고 앞으로 나가라는 것이다.

우리는 어제도 길을 걸었고 오늘도 길을 걷는다. 내일도 길을 걷는다. 내가 만든 길을 걷기도 한다. 길은 많다. 직선의 길도 있고 굽은 길도 있다. 넓은 길, 고샅길 등 수많은 길이 있다. 모두가 사람들이 만든 길이다. 지금도 수많은 사람들이 길을 만들 것이다.

길만이 길은 아니다. 사고하는 길이 길 중에 으뜸일 것이다. 지향하는 원대한 꿈 말이다. 몇 해 전 네가 찍은 사진 한 장이 불현듯 떠오른다. 내 고향이자 네 할아버지, 할머니가 계시는 시골에서 설날 아침에 찍은 사진이다.

그 사진을 말한다. 새벽에 눈이 내렸다. 쌓인 눈이 10㎝ 정도였지 않았나 싶다. 궤적을 만드는 데 아주 적합한 적설량 같다는 생각이 든다.

신천지에 개척자가 있었다. 발자국으로 짐작컨대 산짐승이 적확해 보인다. 이 미물이 미지의 세계를 길다랗게 한가닥으로 궤적을 남겼다. 미답의 개척자이다.

아버지가

달,
거울처럼 말이다

군에서 한가위를 맞이한 아들에게

평균거리 38만㎞ 멀리 있을 때는 42만㎞ 거리에 있던 게 약 36만㎞ 가까이 접근했다고 한다. 타원형으로 도는 달, 한가위 보름달을 말한다.

달에는 계수나무가 있고 토끼가 떡방아를 찧는다.(전래동화) 달이라는 글자가 들어가는 '별순이 달순이'라는 동화도 있다. '별순이 달순이'라는 동화는 너의 어머니가 단골 메뉴로 독보적이었다.

네가 태어나서 집 밖에서 맞이한 한가위는 처음이다. 한가위나 설 등에 집 밖에 있다 보면 집이 생각나는 법이다. 한가위와는 다소 거리가 먼 이야기지만 '별순이 달순이' 이야기가 반추됐는지 모르겠다. 네가 어릴 때 네게 너의 어머니가 자주 들려 줬던 이야기니 말이다.

추석의 고유 음식은 초승달 같은 송편인데 먹었는지 모르겠다.

달, 인류에 가장 큰 거울이지 않나 싶다. 직접 빛과 에너지를 발생시키지는 않지만 인류에 많은 희망을 주는 것 같다. 인류는 희망을 얻기 위해 달(우주)을 향해 가고 있다. 17세기 초 갈릴레오 갈릴레이가 달을 망원경으로 관찰한 이후 발전을 거듭해 암스트롱은 달에 첫발을 내딛었다. 암스트롱은 "이것은 작은 발자국이지만 인류에게는 커다란 한 걸음이다."라는 명언을 남겼다. 우리나라도 달에 대한 프로젝트가 있다. 2020년까지 달 탐사선을 발사하고 2030년에는 우주왕복선, 2040년 소행성 등의 탐사선을 발사하는 것 등이다.

이렇게 희망을 주고 있는 달, 인류는 달의 한쪽면을 보고 있다고 한다. 다시 말하면 보고 있는 달의 면 말이다. 언제나 매월 뜨는 달 그면 만을 보고 있다는 것이다. 초승달이나 하현달이나 보름달이나 모양만 다를 뿐이지 한쪽면 즉 전면만 보고 있다는 것이다. 우리가 한면만 보는 거울처럼 말이다.

공전과 자전 주기가 약 27.3일로 같아 한쪽면만 볼 수 있다는 달, 한쪽만 보고 달려가는 우리의 한 단면의 방증이라는 생각을 해본다.

우리가 달을 보는 것. 빛이 투과되지 않기 때문에 달을 볼 수 있다고 해야 할 것이다. 거울처럼 말이다. 거울에 비친 빛이 투과되지 않는다.

그래서 소통이라는 것은 투과되는 것이지만 뒤가 막힌 거울에 비친 빛이 반영돼 매무새를 고치게 하고 되돌아보게 하므로 소통의 매개체라고 할 수 있겠다.

이 때문이다. 소통을 애써 투과니 반영이니라고 구별할 필요가 있겠나 싶다.

을미년 한가위가 지나서 아버지가 쓰다

나무와 새들,
그리고 겸손한 사람들

대한민국 군인 동구에게

1989년 12월 22일 무슨 날일까. 이 날은 어떠한 기념일도 아니다. 장래가 촉망되던 한 소설가가 반 정부운동을 벌이다가 붙잡혀 사형이 집행되는 날이었다고 한다. 우리나라에서 있었던 이야기가 아니다. 러시아에서 있었던 이야기이다. 도스토예프스키 이야기이다.

도스토예프스키는 엄청난 두려움과 공포감에 휩싸였을 것이다. 더구나 추위가 심한 나라가 러시아다. 겨울이다. 영하 40도 이상으로 몰아쳤을지도 모를 한겨울이었을 터이니 두려움과 공포가 배가되고 형언하기 어려울 듯 싶다.

카운트다운이랄까 가는 게 시간이니만큼 시간은 다가와 사형집행 시간이 5분 남았다. 하릴없는 도스토예프스키는 옆의 사형수들과 작별의 인사를 고하고 자연과 환경을 둘러보고 지금까지 자신에 대한 인생을 되돌아보았다고 한다.

4분이 지나고 1분이 남았다. 이제는 눈을 감고 체념하고 모든 것을 내려놓을 순간 사형집행을 면제받았다고 한다. 사형시키지 말라는 러시아 황제의 특명이 전달됐기 때문이다.

황제의 특명으로 다시 태어나게 된 도스토예프스키는 그 후에

『죄와 벌』, 『백치』, 『악령』, 『카라마조프 가의 형제들』 등 불후의 명작을 발표했다.

즐기면서 일하라고 말이다. 이랬을 때 능률도 있거니와 그 사람에 행복감이 더해진다는 말이다. 군대도 마찬가지일 듯하다. 어불성설일지 모르지만 즐거운 마인드를 가질 때 전혀 다른 군대 생활이 될 듯하다.

겸손의 자세는 최고의 미덕이라고 본다. 겸손은 나를 낮추는 것이다. 배려이지만 겸손일 듯한 까치밥이 생각이 난다. 마침 어제 한 잡지에 사진기자가 찍어 실어 놓은 까치밥 사진을 봤다. 까치밥 사진은 감을 수확하고 몇 개 남겨둔 감나무에서 새들이 성찬하는 사진이었다. 우리 조상님들은 날짐승, 들짐승에 배려하고 겸손해했다.

들짐승에 배려와 겸손은 보리, 벼 등을 수확할 때 다 베지 않고 몇 포기는 그대로 두었던 것이다. 들짐승이라 하는 들쥐가 대표적일 것이다. 익충, 해충이 있듯 들쥐는 해를 끼치는 들짐승이다. 쪼고 먹어치우는 등 해로운 들짐승으로 통한다. 그런데도 배려한 것은 대단한 것이다.

할아버지와 어린 손자가 밭에 콩을 심으면서 있었다는 이야기가 있다. 할아버지가 괭이로 구멍을 내고 손자에게 콩 세 개를 넣게 하고 덮어나갔다. 손자는 궁금한 생각이 들었다. 한 개의 콩을 넣어도 될 것 같은데 왜 세 개를 넣느냐는 것이다. 손자가 할아버지에 궁금한 것을 여쭈어 봤다. 할아버지 대답인 즉 하나는 날아다니는 새가 먹고 하나는 땅에 있는 벌레가 먹고 하나는 우리가 먹는 것이라고 했다고 한다.

너의 어머니가 보고 붓글씨를 쓰는 책이 '추구(推句)'이다. 이 책을 보면 사람은 지구의 손님이라는 말이 나온다. 지구를 '임대'해 쓰는 우리들. 지구에 손님으로 와서 살아가는 우리들은 어떻게 겸손해야 하며 어떻게 손님의 자세를 가져야 하는가를 생각하게 한다.

내게는 책 세권이 꽂혀 있는 가지고 다니는 책꽂이가 있다. 눈치 챘는지 모르겠다. 휴대폰에 책장을 말한다. 네가 앱으로 깔아놓은 국어, 영어, 한자 사전을 말하는 것이다. 세 권만이 진열돼 있으니 이렇게 표현한 것. 발전된 문명을 향유하는 것, 네가 설치한 앱을 유용하게 쓰는 것을 매우 고맙다는 생각을 한다. 아주 유용하게 사용하려고 한다.

날씨가 많이 추워졌다. 가을에 감기 환자가 많다고 하지. 내 몸은 내가 철저히 관리 감독 하는 게 최선일 것이라는 생각을 한다.

운전에는 방어운전이 있다. 유격훈련을 앞뒀다지 방어적(몸을 보호) 유격훈련이 됐으면 한다. 보람된 유격훈련이 됐으면 한다. 건투를 바란다.

을미년 가을, 아버지가 쓰다

소중한 편지

대한민국 군인이 된 아들에게

후반기 교육이 차질이 없는지 모르겠다. 미국이 대북 감시 태세인 '워치콘'을 3단계에서 2단계로 격상하고 '진돗개 하나'가 전군에 내려져 영향이 없는 것인지 모르겠다는 말이다.

'진돗개 하나'나 '워치콘'은 북한이 연천군 28사단 지역에 두 차례 포격을 가해 와 내려진 조치였다. 우리 군은 자주포로 대응했다. 북한은 앞서 비무장지대(DMZ)에 지뢰를 심어놓아 그게 폭발해 우리 병사 2명이 다리를 절단해야 하는 사건이 있었다.

다행이다. 판문점에서('무박 4일') 43시간에 걸쳐 열린 남북 고위 당국자 회담에서 북으로부터 "지뢰 폭발 유감"을 받아내어 회담이 타결됐기 때문이다.

'진돗개 하나'와 '워치콘' 발령으로 준비태세가 됐을 것이고 긴장감이 역력했으리라고 본다. 이곳 대한민국 수도인 서울, 북과의 거리가 엎드리면 코 닿을 곳이지만 시민들의 동요는 없었다. 긴장하는 모습이 조금은 있었지만 평온했다는 말이다.

네가 보낸 편지 받았다. 네가 전반기 교육을 받는 논산에 너의 어머니와 ○○이가 다녀 온 후 네가 보낸 첫 번째 편지를 말한다. 감동과 감회가 와닿는 편지였다. 편지를 개봉해 읽는 너의 어머니 표정을 옆에서 지켜보고 있었다. 너의 어머니의 눈 언저리가 붉어졌다. 너의 어머니가 무겁게 손에 든 것 중의 표현을 적절히 잘했다는 말이다. 편지를 잘 썼다는 말도 되겠다.

지금은 편지를 잘 안 쓰는 시대다. 스마트폰 등으로 주고 받기 때문이다. 나만 해도 그렇다. 내가 네게 쓰는 편지만 해도 그렇다. 내가 네게 쓰는 편지에 "인사말을 쓰는 건지 안 쓰는 건지"라고 표현할 정도다. 너의 안부를 자주 듣기 때문이다. 물론 편지에 안부를 필히 물어야 되지만 말이다. 편지로 안부를 주고받던 시대의 내가 썼던 편지들의 첫머리가 반추된다. '안녕하느냐?'라고 썼던 기억 말이다.

클라우스 슈바프 세계경제포럼(WEF) 창설자 겸 회장은 "인류 역사를 하루(24시간)로 환산한다면 대부분의 변화는 최근 20초 사이에 일어난 기술혁명으로 인한 것"이라고 말했다고 한다. 편지를 잘 안 쓰는 것, 클라우스 슈바프 세계경제포럼 창설자가 말한 "최근 20초 사이"에서 발생하는 현상이 아닐까 하는 생각이 든다. 클라우스 슈바프 창설자는 독일 출신이고 스위스 제네바 대기업 정책과 교수, 유엔개발계획(UNDP) 부의장 등을 지낸 세계적인 경제학자라고 한다.

네가 지난번 전화에 "중형차 운전이 가장 힘들다고 한다."고 한 적이 있다. 하지만 소형차 운전을 경험하는 것보다는 큰 차로 운전하는 것이 더 좋을 것 같다는 생각이 든다. '운전은 큰 차로 배워야 한다.'는 말도 있다. 또 조교생활보다는 운전이 더 낫겠다는 생각이 든다. 모든게 그러한 것이지만 운전은 좋은 습관이 매우 중요하다. 좋은 습관이 체득되게 하는 노력이 필요할 것 같다.

아직 생경할 군대 생활 익숙해 잘 적응되도록 노력하는 생각이 아주 중요할 것이다. 건투를 바란다.

을미년 여름, 아버지가 쓰다

나와 다른 사람들, 하모니의 중요성

동구에게

'의좋은 형제'라는 이야기가 있다. 달 밝은 밤이었다. 그것도 오곡이 무르익은 가을밤이었다. 결혼하여 분가해 따로 살림살이를 하는 형과 아우에게 위아래 논이 있었다. 아우는 형을, 형은 아우를 생각해 서로는 달밤에 자기 논의 볏단을 안아다 형님의 논에 아우의 논으로 나르다 아우와 형님이 마주쳐 전율이 오게 하는 이야기다.

이 이야기가 담긴 그림 있는 라면이 있었다. 농심 라면이었다. 이 라면의 그림과 걸맞은 광고가 있었다. 물론 이 라면의 광고를 말하는 것이다. 너뿐만 아니라 너의 형과 누나도 태어나기 전 훨씬 이전 광고였으니 전혀 모를 것으로 본다.

네가 태어나기 전 17년 전의 광고이다. 1975년 시작된 광고였다. 코미디언 구봉서와 곽규석이 모델로 나와 농심라면을 선전한 광고이다.

이 광고를 이야기하면 이렇다. 김이 모락모락 잘 끓여진 라면 한 그릇을 형과 아우는 서로에게 밀고 민다. '형님 먼저' '아우 먼저'라고 하며 말이다. 아우 역할을 맡은 곽규석이 "형님 먼저 드시오." 형님 역할을 한 구봉서가 "아우 먼저 들게나."라고 말한다. 동생 역할을 한 곽규석이 "그럼 제가 먼저" 말하며 라면을 먹는 광고이다.

이 광고를 국민들에게 많은 메시지를 주고 "형님 먼저, 아우 먼저"라고 하는 멘트를 남겼다. 광고를 '30초의 예술'이라고 말하는데 걸작이었다!

우리가 쓰는 속담이나 격언은 수백 년 또는 수천 년 내려오면서 지금까지 전해지고 있다. 이 말들이 유용성이 없다면 진즉 옛말이 되고 말았을 것이다. '형님 먼저, 아우 먼저'는 격언이다! 또 다르게 표현하면 속담이나 격언을 뛰어넘는 금언이라는 생각이 든다.

아날로그시대 디지털시대로 과학의 발달, 문명의 발전 우리는 이것들을 향유하지만 문제를 낳고 있다. 개인 미디어로 가족 간의 대화가 단절되고 있다. 갈등까지 오게 한다.

흔히 요즘을 스마트시대라고 한다. 가족 간을 스마트하게 노력해야 할 필요가 있을 것이다.

미디어 전문가이자 미래학자인 마셜 매클루언은 "우리가 도구를 만들지만 그 후엔 우리를 만든다."고 했다고 하는 말이 생각난다.

창의적인 사람, 따뜻한 사람, 적극적인 사람, 성격이 원만한 사람, 정의로운 사람, 다재다능한 사람, 의지가 강한 사람, 열심히 노력하는 사람, 이것들은 한국교육개발원이 국민을 대상으로 장차 자녀가 생긴다면 어떤 사람이 되기를 원하는가? 하는 여덟 가지의 항목이라고 한다. 이것들은 모두가 성격을 말하는 것은 아니지만 성격이라고 할 만큼 한 사람, 한 사람의 특징적인 것을 말하는 것이다고 할 수 있을 것이다.

이 여덟 가지의 항목들이 있을 것처럼 사람은 나와 똑같은 사람이 없다. 다시 말하면 내 맘에 쏙 드는 사람은 이세상에 단 한명도 없을 것이라는 말이다. (위의 대입은 어설펐다. 다양성을 말하는 것이다.)

하지만 우리는 나와 다른(내 맘에 안 들어도) 사람들을 만나며 살아간다. 양보와 협력이라는 하모니 때문에 가능할 것이다.

가족 간에도 마찬가지다. 나는 지금 부지불식간에 손을 폈다 접었다 하면서 손가락을 봤다. 각기 다른 즉 길고 짧고 굵기도 다른 아롱이다롱이 손가락들이 협력을 하고 있었다. 뭉치면 살고 흩어지면 죽는다는 말이 불현듯 생각이 났다. 뭉치면 살고 흩어지면 죽는다는 말을 이럴 때 쓰는가 싶었다. 엄지와 검지로는 작은 것을 다섯 손가락으로는 큰 것을 열 손가락으로는 더 큰 것을 집을 수 있다는 것을 느꼈다는 말이다. 뉴스에서 봤는지 모르겠다. 미국항공우주국(NASA)이 지구에서 1,400광년 거리에 있는 '잃어버린 가족'(지구와 흡사)으로 추정되는 행성을 찾았다고 한다. 지구와 가장 닮았다고 하는 이 행성(케플러-452b)은 나이가 지구보다 15억 년이 많은 60억 년으로 추정되고 지름이 지구의 1.6배라고 한다. 이 행성도 지구가 태양을 따라 공전하듯 케플러-452를 따라 공전하고 공전주기가 지구보다 20일 많은 385일인데, 즉 1년이 385일이라는 말이 되겠다. 케플러-452의 표면 온도가 태양의 표면 온도와 비슷하다고 한다.

을미년 가을, 아버지 씀

버락 오바마 대통령에게 보내는 편지

미국의 버락 오바마 대통령님에 썼던 편지다. 용기라고 할 수 있을 것 같다. 내가 보냈던 편지를 물론 버락 오바마 대통령님이 읽지는 않았을 것이라는 게 명백해 보이지만 말이다. 하지만 내가 보낸 편지가 워싱턴에 백악관 까지는 당도 했을 것이다. 터보제트엔진을 장착한 비행기를 타고 말이다. 국제특송우편(EMS)으로 보냈었다.

세계를 리더하는 미국의 버락 오바마 대통령님에게

2011년 10월 12일자 '동아일보'의 "오바마 매일 저녁 숙제는 '국민의 편지'"라는 제목의 글을 읽었습니다. 버락 오바마 대통령님이 "하루에 백악관으로 배달되는 2만 여 통의 편지 중 분야별로 엄선해 분류한 10통을 꼼꼼히 읽고 한 두 통은 친필 답장을 보내는 '방과 후 숙제'를 한다"는 내용이었습니다.

동아일보의 이 기사를 읽고 용기를 내 편지를 쓰게 됐습니다. 영어를 잘 몰라 영문으로 편지를 드리지 못해 대단히 죄송합니다.

버락 오바마 대통령님에게 먼저 감사의 말씀을 드립니다. 세계의 안녕과 평화, 세계 질서의 노고에 감사함을 느낍니다. 분단국 국민으로서 감사하고 고마운 생각이 더 절실히 느껴지는 것 같습니다.

또, 기회가 있을 때마다 한국의 교육(앎추구)에 높이 칭찬하시는 것 같으니 더욱이 고맙고 감사한 생각이 더합니다.

버락 오바마 대통령님의 한국 교육에 대한 칭찬은 한국에 '부정적도 긍정적이지도 않다는 국외의 시각과 무관심적이다는 서양의 시각'을 바뀌게 하는 매개가 될 것이므로 저 개인은 물론이러니와 국익에 크나큰 도움이 될 것입니다.

버락 오바마 대통령님의 열정적인 한국 교육에 대한 칭찬은 열심히 노력하면 '개천에서 용날 수 있다'는 뜻으로 받아들여지는 것입니다.

버락 오바마 대통령님의 한국 교육에 관한 관심과 칭찬은 가끔 언론에 보도됩니다. 이에 저의 부화뇌동한 늦둥이가 동화 되기를 간절히 소망하지만 별 반응이 없습니다. 여전히 부화뇌동하기는 매한가지입니다.

저는 버락 오바마 대통령님의 저서 '내 아버지로부터의 꿈'과 '버락 오바마 담대한 희망'을 읽었습니다. 이 책들은 버락 오바마 대통령님의 대통령으로 당선됐을 전후쯤 한글로 번

역돼 출간됐습니다. 출간되자 곧 읽었습니다.

실은 부화뇌동하는 저의 늦둥이가 읽고 변화를 바라는 마음에서 읽었던 것입니다.

멘토의 말 한마디가 한 사람의 인생을 바뀌게 한다는 말이 있습니다. 만약 이 편지가 2만 여통의 편지와 한 무리가 돼 10통 안에 들고 답장하시는 1~2통에 선정된다면 버락 오바마 대통령님께서 저의 늦둥이의 멘토가 될 것입니다. 분명히 저의 늦둥이가 변화할 거라고 생각합니다. 또 나부랭이 아버지의 용기의 결실에 동기부여가 돼 대기만성의 철이 들 거라고도 생각합니다.

'맹모'는 아들의 교육을 위해 세 번 이사를 했다고 합니다. 한국의 한 시인은 "부모는 활이고 자녀는 화살"이라고 했습니다. 부모는 활을 힘껏 당겨 화살이 과녁을 벗어나지 않도록 해야 한다는 것입니다. 즉 바르게 인도해야 한다는 것입니다.

저는 자녀 교육의 한계를 느낄 때가 빈번합니다. "맹모삼천지교" 심정으로 안동답답이가 돼 세계적 대통령, 버락 오바마 대통령님에게 편지를 드렸습니다. 버락 오바마 대통령님의 평안을 빌겠습니다. 안녕히 계십시오.